Le Moi inc.

CAmU

Ba Succès!.

Sylvain

Le Moi inc.
par Sylvain Boudreau

Les Éditions
de la Francophonie

Conception de
la couverture : **Jean-Maxime Brais**

Mise en pages : **Info 1000 mots inc.**
info1000@sympatico.ca • 418-833-3063

Reviseure : **Linda Breau**

Production
et distribution : **Les Éditions de la Francophonie**
476, boul. Saint-Pierre Ouest C.P. 5536
Caraquet (N.-B.) E1W 1B7
Tél. : 506 702-9840 • 1-833-212-9840
Courriel : info@editionsfrancophonie.com
www.editionsfrancophonie.com

ISBN 978-2-89627-241-9

Dépôt légal – 3ᵉ trimestre 2010
Bibliothèque nationale du Canada
Bibliothèque nationale du Québec
Imprimé au Canada

Table des matières

On m'a souvent demandé ce qui m'avait amené à être conférencier. En fait, il y a eu plusieurs facteurs. Tout d'abord, il y a eu des rencontres déterminantes qui ont influencé mes choix de vie. Entre autres, celle de Pierre-André Verreault, qui m'a donné ma première chance et qui a cru en moi. Il y a aussi le fait que j'ai toujours été très à l'aise sur scène, devant un public. Mais l'élément principal est que j'ai toujours été fasciné par les gens qui ont une attitude positive, par les gens qui ont de l'enthousiasme.

Je me souviendrai toujours de ma première conférence. C'était en janvier 1995 et on m'avait demandé d'expliquer mon concept de «sympathique et professionnel» devant les membres d'une Chambre de commerce. Ce fut une révélation. Les gens m'ont spontanément ovationné et j'ai ressenti une satisfaction incroyable. C'était intense comme *feeling* et j'ai su immédiatement que je voulais revivre cette émotion. J'allais donc devenir conférencier professionnel... Wow!

Avoir su... Avoir su que ce serait si difficile, si ardu... Les cinq premières années, mon téléphone n'a servi qu'à une chose: appeler. Il ne sonnait jamais. Je n'étais pas connu, et, qui aurait voulu engager un jeune conférencier sans expérience? Vous savez, quand on est un conférencier sur l'attitude, il faut être positif. Alors, quand les gens me demandaient comment ça allait, je répondais avec enthousiasme: «Très bien!» Je n'avais pas une cenne, je n'avais pas beaucoup de contrats, presque toutes mes conférences étaient bénévoles, mais ça allait... très bien... À l'époque, j'ai contribué au lancement d'un réseau pour travailleurs autonomes, **Le Réseau Entreprendre**, avec quelques personnes dont mon ami Rock Gagnon. Rock démarrait son entreprise dans le domaine des finances et il était le président de notre réseau. Rock était toujours chic, portait de beaux habits, il était fier et il inspirait la confiance. Et quand on se rencontrait à nos réunions, on se demandait toujours : « Et puis, comment ça va ? » On se répondait invariablement : « Très bien... » Beaucoup plus tard, quand les choses se sont vraiment améliorées pour nous, nous nous sommes avoué qu'au fond, à l'époque, ça allait vraiment mal... Aujourd'hui, on en rit souvent.

Mais un jour, le vent a tourné, le téléphone s'est mis à sonner. Enfin, je récoltais le fruit de toutes ces années de travail et de réseautage. Enfin, je pouvais envisager de gagner ma vie comme conférencier. Depuis, quel chemin parcouru : incroyable ! La conférence **Le Moi inc.** est devenue « La conférence la plus vue au Québec ». Je l'ai donnée plus de 2 000 fois à ce jour et des milliers de personnes m'ont témoigné à quel point la conférence avait été déterminante pour eux. Des adolescents, des gens qui ont traversé une maladie, des gens qui ont perdu du poids ou qui ont changé d'emploi, toutes ces personnes m'ont avoué que la conférence avait eu un impact sur leur vie... Incroyable. Je n'ai pas de mots pour vous dire à quel point ces témoignages sont gratifiants pour moi. **Le Moi inc.** n'est pas une conférence que je prononce, mais une conférence que je vis. Je crois profondément aux valeurs de valorisation et de responsabilisation que véhicule la conférence. Donc, savoir que **Le Moi inc.** a eu une incidence dans la vie de milliers de personnes me rend extrêmement heureux.

Graduellement, une équipe extraordinaire s'est greffée à moi. Tout d'abord, Charles-François Morency, qui a été à la fois gérant, chauffeur, secrétaire, vendeur et un acteur important dans l'essor du **Moi inc.** Si vous saviez à quel point on a ri et on a vécu des situations hilarantes ensemble. Depuis, Charles-François est allé relever d'autres défis, mais il reste un ami sincère avec qui je partage des souvenirs impérissables.

Aujourd'hui, Robert Lachance, Stéphanie Brais et Robert Brais forment l'équipe la plus efficace, la plus dynamique et la plus chaleureuse qu'on puisse imaginer. Je suis choyé de les avoir dans ma vie. Leur grande bonté, leur générosité, leur talent, leur sens de l'organisation et des responsabilités me permettent de faire ce que j'aime le plus : donner des conférences, tout en ayant l'esprit tranquille. Chaque fois qu'un client me parle des membres de mon équipe, c'est pour me dire à quel point ils sont «sympathiques et professionnels»... Je les adore!

Aujourd'hui, notre défi est de continuer à faire connaître le concept du *Moi inc.* Par le biais des conférences, de notre site Internet (www.moiinc.ca) et de nos différents produits, nous voulons partager avec le plus de gens possible ce principe de vie en espérant qu'il puisse les inspirer comme il le fait pour nous.

En terminant, je tiens à remercier tous ceux et celles qui, de près ou de loin, ont contribué au succès du *Moi inc.* Je vous en suis très reconnaissant.

Bonne lecture!

Avant-propos

Vous savez, il y a beaucoup d'avantages à vieillir. Évidemment, il faut travailler plus fort pour garder la *shape,* mais, quand ça fait partie de nos habitudes, c'est un grand plaisir.

Un des plus grands avantages, c'est de mieux se connaître. On sait ce qu'on veut et ce qu'on ne veut pas. On connaît mieux nos forces et nos faiblesses.

Personnellement, il y a un point qui est devenu évident avec les années :

Je ne suis pas un motivateur !

Je comprends que **Le Moi inc.** peut aider et stimuler les gens, et j'en suis très heureux, mais je ne suis pas un motivateur ! Et vous savez quoi ? Ca ne m'intéresse pas d'en être un ! Ce n'est pas dans mes gènes, je ne suis pas à l'aise avec le rôle de motivateur, ça ne me ressemble pas. Je sais que mon énergie sur scène peut être stimulante et motivante pour certains ; tant mieux. Mais c'est ma façon d'être, je suis dynamique... je ne veux pas vous motiver, je veux partager avec vous mes convictions et ma façon de voir les choses. Le reste vous appartient. À vous de décider si vous êtes d'accord avec moi ou non et si vous voulez agir... ça ne me regarde plus. J'aime pouvoir décider pour moi... Alors, je vous souhaite la même chose.

J'ai un baccalauréat en relations industrielles, option gestion des ressources humaines, donc je connais ça un peu, la motivation. J'ai appris les différences entre la mobilisation et la motivation. J'ai appris que la mobilisation est l'art de convaincre les gens de pousser dans une direction précise en ayant un but précis en tête. Quand tu es mobilisé, tu sais où tu t'en vas et pourquoi tu y vas.

On peut aussi mettre en place des facteurs de motivation, comme le salaire, les conditions de travail ou en donnant des responsabilités à quelqu'un. Mais on NE PEUT PAS motiver quelqu'un, c'est un processus intrinsèque et personnel.

Personnellement, je préfère parler d'attitude. Pour moi, c'est concret ! Nous sommes responsables de notre attitude et de notre façon de réagir face à ce que la vie nous envoie.

Je suis donc un conférencier sur l'attitude... sur l'attitude positive !

C'est un rôle qui me va mieux, qui me ressemble davantage. J'aime être conférencier et j'aime les gens positifs. J'aime les gens qui sourient et qui voient la vie du bon côté.

Et vous savez quoi ? Je crois que nous avons le droit d'être démotivés. Je suis convaincu que nous sommes tous démotivés à l'occasion et que, souvent, ça ne peut qu'être bénéfique, ça oblige à réagir. La question importante, cependant, est celle-ci : qu'elle est notre attitude face à cette démotivation ?

Quelqu'un qui apprend qu'il a une maladie grave, quelqu'un qui vit une séparation amoureuse, quelqu'un qui n'aime plus son travail ou qui n'a plus de défis stimulants a le droit d'être démotivé! On a tous déjà vécu le *blues* du lundi matin, ou l'espèce de pierre au ventre quand on termine ses vacances et qu'on retourne au travail. Personnellement, je le vis régulièrement et... c'est NORMAL! La question est: comment vais-je réagir?

Je crois que nous avons tous le pouvoir de choisir nos réactions. Nous avons tous le pouvoir de passer à l'action. Personnellement, quand je suis démotivé, je me parle! J'essaie de comprendre ce que je vis. J'essaie de trouver des solutions. Et, surtout, je n'hésite pas à en parler à d'autres. Le fait de partager ce qu'on ressent enlève de la pression, nous fait réaliser que nous ne sommes pas la seule personne à vivre telle ou telle situation et surtout nous permet souvent de relativiser les choses. Combien de fois me suis-je dit, après avoir parlé à quelqu'un: «Ca a fait du bien!»

Ma façon habituelle de passer à l'action est de m'entraîner physiquement. J'adore ça et les bénéfices sont immédiats. Quand ça ne va pas à mon goût, ou que je manque d'entrain, je m'en vais au gym. Le résultat est instantané. Je ressors du gym stimulé, plein d'énergie, et on dirait que mon cerveau se met en mode «recherche de solutions». Vous n'êtes pas obligés de faire comme moi, mais, une chose est sûre, si vous désirez entrer dans une spirale positive: BOUGEZ! Vous êtes démotivés? BOUGEZ!

Souvent dans la vie, nous ne sommes pas responsables de ce qui nous arrive. Mais nous sommes responsables à 100 % de notre réaction, de notre attitude. On a le pouvoir de voir le verre à moitié plein ou à moitié vide.

La conférence **Le Moi inc.** est une conférence sur l'attitude. C'est une conférence sur la responsabilisation et sur la valorisation de soi. C'est une conférence concrète et stimulante qui incite les gens à agir et à réaliser qu'ils sont les seuls responsables de leur réaction face à la vie.

Je souhaite sincèrement que vous ayez du plaisir à lire ce livre, et tant mieux si vous y découvrez des outils ou des pistes de réflexion. Mais une chose est sûre, ça vous appartient!

Bonne lecture!

Introduction

C'est votre attitude, et non votre aptitude qui détermine votre altitude.

ZIG ZIGLAR

Je me souviendrai toute ma vie du jour où j'ai eu, pour la première fois, l'idée du **Moi incorporé**. C'était en 1994, dans un avion qui s'apprêtait à décoller de l'aéroport de Dorval. J'étais assis dans mon siège et j'attendais patiemment que l'avion décolle, en écoutant la démonstration des mesures de sécurité que faisait l'agent de bord devant moi. Elle nous indiquait les sorties de secours, nous montrait comment nous servir de notre gilet de sauvetage en cas de besoin, puis elle a dit ceci: «Si jamais une dépressurisation de la cabine devait survenir en cours de vol, des masques à oxygène vont tomber devant vous. Prenez le masque, placez-le sur votre nez et votre bouche de façon hermétique, et respirez lentement. Par la suite, vous pourrez aider vos enfants ou les gens près de vous qui ont besoin d'aide à mettre leur masque.» Eh bien, dans ma vie, cette dernière phrase a été une révélation! Pourquoi? Parce que l'agent de bord venait de me faire réaliser **qu'avant de** pouvoir sauver les autres, je devais me sauver moi-même. *Le Moi inc.* était né !

Plus vous allez prendre soin de vous, meilleur vous serez pour les autres, voilà le principe à la base du *Moi inc.*, et c'est pourquoi ce concept n'est pas égoïste, mais altruiste. Pensez-y : comment est-il possible de donner de l'énergie à quelqu'un, de l'aider à dynamiser sa vie, si l'on n'est pas soi-même énergique, dynamique ? C'est impossible ! Et comment peut-on espérer bien s'occuper de ses enfants, par exemple, si on ne s'occupe pas d'abord de soi-même, si l'on n'est pas bien avec sa propre personne ?

Si j'ai développé le concept du *Moi inc.*, c'est parce que j'ai la conviction profonde que notre société se porterait beaucoup mieux si chaque individu prenait davantage soin de lui-même. C'est d'ailleurs ce que disait le président américain John F. Kennedy dans son célèbre discours à la nation, en 1961 : « Ne vous demandez pas ce que le pays peut faire pour vous, demandez-vous ce que vous pouvez faire pour le pays. » Je crois sincèrement que nous devrions tous écrire cette phrase quelque part dans notre agenda, sur notre ordinateur portable, la coller sur notre frigo, et surtout nous la répéter souvent !

Arrêtez de vous demander ce que le gouvernement fait pour l'environnement ou pour la santé. Vous, à titre personnel, qu'est-ce que vous faites pour protéger l'environnement ? Qu'est-ce que vous faites pour rester en santé ? Si chaque personne prenait mieux soin d'elle-même, les hôpitaux seraient beaucoup moins engorgés, j'en suis convaincu. Et de la même manière, si nous posions tous des gestes concrets pour protéger notre environnement, la planète ne s'en porterait que mieux. D'ailleurs, ce n'est pas seulement vous qui gagnerez à prendre soin de votre *Moi inc.*, mais aussi les gens qui vous entourent, votre famille, vos amis, vos collègues de travail, puisque tout le monde a avantage à ce que vous soyez la meilleure personne possible. Alors, pourquoi ne pas commencer dès aujourd'hui à devenir cette personne ?

Si vous vous apprêtez à lire ce livre, c'est que vous êtes déterminé à changer quelque chose dans votre vie, pour le mieux. Je vous en félicite ! En l'écrivant, j'ai voulu vous donner des outils efficaces pour vous aider à avoir la meilleure attitude possible, celle qui vous permettra de développer à fond votre potentiel, d'avoir un réel pouvoir sur votre vie et d'aspirer à un bonheur plus grand. Beau programme, non ?

Chaque matin, quand vous vous réveillez, vous êtes responsable de votre attitude, vous êtes responsable de la manière dont vous envisagez la journée qui vous attend et la vie en général.

Il se peut que vous vous réveilliez non motivé, car votre motivation dépend d'une foule de facteurs sur lesquels vous n'avez pas ou peu d'influence. Par exemple, souvent, vous n'êtes pas responsable de votre salaire, de vos conditions de travail, de votre horaire, de vos vacances, qui sont autant d'éléments qui vous motivent ou non à vous rendre au travail. Par contre, votre attitude par rapport à votre travail dépend de vous. Ainsi, vous pouvez être démotivé par rapport à votre emploi tout en gardant une bonne attitude par rapport à celui-ci, que ce soit dans vos rapports avec vos collègues, dans les démarches que vous entreprenez pour changer les choses, etc. Ce qui vaut pour le travail vaut d'ailleurs pour les autres départements de votre *Moi inc.,* puisque c'est de votre attitude que dépendra votre réussite dans la vie, bien plus que de votre motivation. Voilà pourquoi ce livre vise à faire de vous la personne avec la plus belle attitude qui soit !

Dans les pages qui suivent, je développe ma pensée à propos du *Moi incorporé* et des différents départements qui le constituent. Dans la première partie, je m'intéresse aux différentes notions rattachées au concept du *Moi inc.,* qui vous permettront de mieux comprendre ce que j'entends par là et d'amorcer votre réflexion personnelle. Il sera ainsi question de la valorisation et de la responsabilisation, de l'importance de fournir des efforts soutenus pour obtenir le maximum de résultats, du fait que nous avons tous un rôle de phare à jouer, ou encore de la théorie du « un peu plus ». Et il sera question de bien d'autres choses encore ! Quant à la deuxième partie du livre, elle porte plus spécifiquement sur chacun des huit départements qui forment *Le Moi inc.* et sur la manière de les améliorer, de les amener plus loin. J'ai aussi joint, en toute fin d'ouvrage, une série de références qui, je l'espère, vous seront utiles pour poursuivre votre démarche d'enrichissement personnel.

Si vous avez déjà assisté à la conférence intitulée **Le Moi incorporé** et qu'elle vous a interpellé, ce livre est pour vous. En fait, il en est le complément logique, le prolongement. J'ai eu envie de l'écrire pour approfondir mes idées à ce sujet et pour vous les communiquer. Je conçois donc ce livre comme un guide pratique qui vous permettra, jour après jour, d'améliorer votre attitude par rapport à la vie en général, par rapport à votre travail, à votre alimentation, à vos relations interpersonnelles, et ainsi de suite. Il n'en tient qu'à vous de changer votre vision des choses et de vous engager, au quotidien, dans une spirale positive qui vous permettra d'atteindre les plus hauts sommets. Votre succès est entre vos mains, vous en avez la responsabilité, et j'espère sincèrement que la lecture du **Moi inc.,** en vous encourageant à vous surpasser dans toutes les sphères de votre vie, contribuera à la réussite de votre belle entreprise.

1

Les principes du *Moi inc.*

1

Le *moi incorporé*

je ne comprends pas qu'il puisse exister quelque chose
de plus merveilleux que moi-même.

WALT WHITMAN

Vous l'ignorez peut-être, mais vous êtes le propriétaire, le PDG d'une entreprise extraordinaire, exceptionnelle : vous-même. Vous en avez hérité, il y a un certain nombre d'années déjà, et depuis ce temps vous travaillez à faire fructifier votre avoir, ou vous le dilapidez. Cette entreprise, que j'appelle votre **Moi incorporé,** elle vous appartient en totalité, vous en êtes l'unique patron, le seul actionnaire, ce qui veut aussi dire que vous êtes le seul à pouvoir être tenu responsable de ses succès et de ses échecs. Vous êtes votre employeur et votre employé. Vous êtes le propriétaire de l'entreprise que vous voyez chaque matin dans le miroir, et c'est donc à vous de décider ce que vous allez faire de votre vie, et quelle sera votre attitude par rapport à celle-ci.

Puisque c'est vous le patron, vous avez donc le choix de gérer votre vie de deux manières différentes, selon la catégorie de personnes à laquelle vous désirez appartenir. La première catégorie de personnes peut être décrite de la manière suivante :

ce sont des gens qui se tiennent bien droits, qui ont une idée précise de ce qu'ils veulent faire dans la vie, qui ont du plaisir, qui contrôlent leurs affaires. La deuxième catégorie de personnes comprend celles qui ont toujours le dos courbé et qui passent le plus clair de leur temps à chialer et à se trouver des excuses pour justifier leurs échecs. Voici quelques-unes des phrases que ces gens-là ne cessent de répéter: «Que veux-tu que je fasse?»; «Je n'ai pas le choix»; «C'est la vie»; «Ce n'est pas de ma faute»; «Ce n'est pas moi qui décide». Pour ma part, je trouve cette attitude déplorable.

Votre vie, vous allez la vivre ou vous allez la subir, vous allez la contrôler ou vous allez vous faire contrôler, mais une chose est sûre, c'est que c'est à VOUS que revient la décision, et à personne d'autre!

LES DÉPARTEMENTS DU MOI INC.

Votre **Moi inc.** est composé de huit départements qui sont sous votre responsabilité et dont vous devez prendre soin: l'alimentation, l'entraînement physique et le sport, les relations interpersonnelles, la santé financière, le travail, les vacances, le bénévolat et l'engagement social, et enfin le département consacré au temps pour vous, que j'appelle le *Me, Myself and I*. Le défi que vous avez à relever, jour après jour, c'est d'arriver à bien gérer l'ensemble de ces départements, c'est de faire en sorte de n'en négliger aucun, car à ce moment, il y aurait une lacune au sein de votre entreprise. Le succès de votre **Moi inc.** dépendra de vos qualités de gestionnaire, des décisions que vous aurez prises, et jamais de celles des autres!

Pour ne donner qu'un exemple, pensons au département lié à l'entraînement physique et au sport. C'est un département très important de votre **Moi inc.** puisque pour se sentir bien dans sa peau, pour avoir de l'énergie et pour demeurer en bonne santé, il faut faire de l'exercice et se garder actif. Nous avons tous hérité d'une machine extraordinaire, notre corps, et nous avons la responsabilité de bien le conserver. Il appartient donc à chacun d'entre nous de se discipliner, de faire des efforts pour aider cette merveilleuse machine à bien fonctionner le plus longtemps possible.

Il y a trente ans à peine, on considérait les hommes et les femmes de 65 ans comme des vieillards, on parlait du «troisième âge». Aujourd'hui, il est facile de constater que les gens vivent beaucoup plus vieux, et en bien meilleure forme, ce qui veut dire que les probabilités que vous viviez jusqu'à un âge avancé sont grandes. La question, cependant, est de savoir si vous allez vous rendre à cet âge en bonne santé et en bonne forme. Lorsque vous achetez une voiture et que vous vous dites que vous aimeriez la garder durant dix ans, et non pas seulement trois ou quatre ans, vous prenez les moyens nécessaires pour vous assurer qu'elle tiendra la route tout ce temps. Le même principe devrait s'appliquer à votre corps, puisque votre santé et votre bien-être en dépendent.

Bien sûr, vous n'avez pas le contrôle sur toutes les variables qui font que vous êtes en santé ou pas, et personne n'est à l'abri de certaines maladies. Mais il y a plusieurs choses que vous pouvez faire pour éviter bon nombre de maux et de soucis, car de nombreuses maladies sont causées par un mode de vie malsain. Sur tous les aspects de votre santé qui ne dépendent pas de facteurs génétiques ou de la simple malchance, vous bénéficiez d'une certaine marge de manœuvre, vous possédez un certain contrôle. Ainsi, c'est à vous qu'il revient de décider si vous voulez subir un triple pontage à soixante ans, ou si vous voulez être dans une forme resplendissante! La conclusion qui s'impose de ce qui précède, c'est que chaque semaine il faut être actif, il faut faire du sport et de l'exercice. Pourtant, dans les nombreuses conférences que je donne chaque année, je remarque toujours qu'il y a des gens dans la salle qui approuvent ce que je dis, qui me regardent en hochant la tête et en disant: «Il a raison, c'est bon, ce qu'il dit, c'est vrai que c'est important de se garder en forme. Moi, j'aimerais ça en tout cas faire du sport, mais malheureusement je n'ai pas le temps...» Mais le temps, ce n'est pas quelque chose qu'on a, c'est quelque chose qu'on prend, qu'on doit prendre!

Parce que si vous attendez d'avoir le temps pour faire quelque chose, vous ne l'aurez jamais, parce que votre vie est remplie d'obligations et d'activités de toutes sortes. Par contre, ce qui est certain, c'est que tous les lundis, quand la semaine commence, vous avez 168 heures à votre disposition. Vous avez bien lu : 168 heures, toutes les semaines. Alors, si vous pensez comme moi que votre bien le plus précieux, c'est votre santé, vous devriez être capable d'y consacrer au moins trois heures par semaine. Vous allez y gagner dans de nombreuses autres sphères de votre vie, et il vous restera quand même 165 heures pour faire autre chose. Ne cherchez pas à vous trouver une excuse en vous disant que vous n'avez pas le temps, PRENEZ le temps. C'est vous, le patron, non ? Si vous ne prenez pas le temps de vous entraîner aujourd'hui, vous devrez prendre le temps d'être malade plus tard !

LE MOI INC : VALORISATION ET RESPONSABILISATION

La vraie valeur d'un homme réside, non dans ce qu'il a, mais dans ce qu'il est.

OSCAR WILDE

Être libre signifie, avant tout, être responsable vis-à-vis de soi-même.

MIRCEA ELIADE

Quand on me demande de décrire en deux mots le concept du **Moi inc.,** je réponds toujours ceci : valorisation et responsabilisation. S'accorder de la valeur, se donner l'importance qu'on mérite, voilà la première condition pour faire de son **Moi inc.** une réussite ! Car ce qu'il ne faut jamais oublier, c'est que nous avons tous hérité, chacun à notre manière, d'un potentiel extraordinaire qu'il s'agit maintenant de développer. Ce que vous devez réaliser, c'est que la richesse, vous la possédez déjà, à l'intérieur de vous-même. Vous y avez enfoui un trésor qui ne demande qu'à être découvert ! C'est pourquoi il ne sert à rien d'attendre que le bonheur vous tombe du ciel, ou que ce soit les autres qui vous le procurent. Apprendre à se valoriser, cela signifie qu'il faut faire tout ce qui est en votre pouvoir pour développer vos talents, pour faire dans la vie ce qui correspond véritablement à la personne que vous êtes.

Pour vous convaincre de l'importance de reconnaître votre propre valeur, il suffit de vous demander quel genre de conseils vous donnez à vos enfants, si vous en avez, ou encore aux jeunes de votre entourage. Qu'est-ce que vous leur dites, lorsqu'il vous parle de leur avenir, de ce qu'ils voudraient faire plus tard dans la vie? Est-ce que vous leur conseillez d'être passifs et d'attendre que quelque chose provenant de l'extérieur se produise, ou bien les encouragez-vous à dépasser leurs limites, à trouver leur propre talent, à découvrir une activité qui les passionne? Je parie que vous leur dites qu'il est primordial qu'ils découvrent par eux-mêmes quels sont leurs champs d'intérêt, leurs rêves, en même temps que vous les encouragez aussi à avoir confiance en leurs capacités, s'ils y mettent les efforts nécessaires. Mais alors, pourquoi ce qui s'applique à ces jeunes gens ne serait-il pas pertinent quand il s'agit de VOTRE personne?

Il vous faut apprendre à reconnaître votre valeur véritable, et ce, dans toutes les sphères de notre vie. Trop souvent, je vois des gens se dénigrer, se rabaisser, refuser de voir les possibilités qui existent en eux. Mais une telle attitude ne sert à rien; pire, elle est contre-productive. Ce qu'il faut bien comprendre, c'est que nous avons reçu un cadeau extraordinaire en venant au monde: notre corps, notre intelligence, notre personnalité, et il est maintenant de notre responsabilité de développer ce potentiel à son maximum. C'est pourquoi le second volet *du Moi inc.* a trait à ce que j'appelle la responsabilisation. C'est-à-dire qu'il n'en tient qu'à vous de vous perfectionner, de vous accomplir davantage dans la vie. Autrement dit, vous êtes «responsable» de votre propre bonheur, et aussi de votre propre malheur. Vous avez le choix, le contrôle sur votre vie. Elle vous appartient, alors, occupez-vous-en!

En réalité, vous êtes le chef d'une entreprise dont l'objectif est de grandir, de croître, et de devenir la meilleure dans son secteur d'activité, quel qu'il soit. Pour ce faire, vous devez chaque jour poser des gestes dans tous les domaines de votre **Moi inc.** (alimentation, entraînement, relations interpersonnelles, finances, etc.) qui vous permettront d'améliorer la «marchandise» et de voir bondir vos bénéfices et la satisfaction qui les accompagne. Pour que votre entreprise réussisse, il est essentiel que vous croyiez en ce que vous faites, que vous valorisiez qui vous êtes, de même qu'il vous faudra assumer la responsabilité de vos actes en vue de rendre cette entreprise la plus incroyable possible. Alors, commencez dès aujourd'hui à faire fructifier le capital inestimable qui se trouve déjà entre vos mains : vous-même !

2

Efforts, résultats

Notre vie vaut ce qu'elle nous a coûté d'efforts.

FRANÇOIS MAURIAC

Il y a quelque chose que l'on voit rarement et qu'on ne valorise pas suffisamment dans notre société : l'effort. Trop souvent, on est pressé d'arriver à des résultats, ce qui fait qu'on sous-estime les efforts qui sont nécessaires pour y parvenir. Et, de la même manière, quand on regarde ce que les autres ont accompli, on a tendance à les admirer en se basant uniquement sur ce qui se voit, c'est-à-dire les résultats, mais on oublie les efforts qu'ils ont faits, souvent durant plusieurs années, pour arriver à ces impressionnants résultats.

Dans chacun des départements de votre **Moi inc.,** il est essentiel de poursuivre des objectifs, des rêves. Mais pour que ces rêves deviennent réalité, il vous faudra faire plus que de rester assis dans votre salon en attendant le jour merveilleux où ils se réaliseront enfin. Il faut se lever chaque matin avec le désir de poser des gestes qui vous rapprocheront un peu de ces résultats escomptés, ce qui n'est pas toujours facile à faire et exige très souvent des sacrifices, des efforts. Dans la vie, pour parvenir aux buts que l'on s'est fixés, c'est toujours efforts/résultats, efforts/résultats, efforts/ résultats. La quantité d'efforts que vous êtes prêt à fournir et leur qualité détermineront à long terme les résultats qu'il vous sera possible d'obtenir.

Le célèbre inventeur américain Thomas Edison disait d'ailleurs que le génie est fait de 1 % d'inspiration, et de 99 % de transpiration! Et il savait de quoi il parlait, lui qui testa près de 6 000 substances végétales, rapportées des quatre coins du monde par ses équipes de recherche, avant de trouver celle qui pouvait faire fonctionner correctement l'ampoule électrique qu'il avait inventée. Il avait donc investi beaucoup de temps, d'argent, d'énergie et d'efforts pour que son projet voie le jour. Or, aujourd'hui, quand on pense à l'auteur de cette invention révolutionnaire, on ne voit que le résultat, et on oublie tous les efforts déployés pour y parvenir.

Le fait de ne pas voir les efforts fournis par les gens, mais seulement les résultats, pousse de nombreuses personnes à attribuer à la chance la réussite des autres. Par exemple, ils vont considérer comme «chanceux» le pianiste qu'ils vont admirer lors d'un concert, puisqu'il peut vivre de son art. Mais, derrière les apparences, derrière le succès, se cachent des années d'efforts. Combien d'heures à pratiquer ses gammes, à étudier, combien de sacrifices ce pianiste a-t-il faits pour parvenir à son objectif? Les musiciens professionnels méritent notre estime, bien plus pour les efforts qu'ils ont déployés pour développer leur talent que pour leur talent lui-même, car celui-ci, ne l'oublions pas, est un don qu'ils ont reçu sans rien faire, et sans rien demander.

De la même manière, une personne en forme l'est parce qu'elle a choisi de se prendre en mains, parce qu'elle a souvent décidé de s'entraîner et de faire du sport plutôt que de rester tranquillement à la maison à regarder la télévision. Cela n'a rien à voir avec la chance, mais avec la volonté. Ses efforts ne se voient pas, on ne la voit pas se lever tôt le matin pour aller courir, ou faire un détour par le gym après le travail pour aller faire une heure d'entraînement. Mais ce sont ces gestes – pas toujours plaisants à faire, répétés toutes les semaines – qui finissent par faire une différence à long terme. La chance n'a rien à voir là-dedans. Mon bon ami Robert Lachance (eh oui... Lachance...), auteur de la conférence «La Traversée», a eu une longue et fructueuse carrière de nageur longue distance. Il a, entre autres, remporté la Traversée internationale du Lac St-Jean dans les années 1980. Croyez-moi, c'est tout un exploit! Eh bien, imaginez-vous qu'il a refait cette traversée de 32 km à l'âge de 50 ans... j'ai dit 50 ans! Si vous saviez à quel point ça lui a demandé des efforts, de la discipline, de l'endurance... Incroyable! Je vous donne un petit conseil d'ami: n'allez pas lui dire qu'il est chanceux d'avoir réalisé cet exploit!

Il peut aussi être tentant de se comparer aux autres et de se dire que certains ont de plus grosses maisons ou de plus belles voitures, ou que, de manière générale, ils paraissent avoir mieux réussi dans la vie. Quoique l'argent facilite bien des choses, il est sans doute plus important de se demander si la personne qu'on admire ou jalouse fait ce qu'elle aime dans la vie et y trouve une grande satisfaction, car une telle réussite, qui ne se chiffre pas en dollars, vaut assurément de l'or. Et si on admet que cette personne a du succès dans la vie, dans la mesure où elle réalise son objectif, il faut alors se demander: «Combien d'efforts a-t-elle fournis pour atteindre ce but, et depuis combien de temps?»

J'ai le privilège d'avoir un couple d'amis que je considère comme des modèles: Doris Landry et Louise Larochelle. Nous nous sommes connus par le biais de la conférence **Le Moi inc.** Ma conjointe, Stéphanie, et moi-même, nous avons le plaisir de voyager avec eux, de faire du sport, ensemble, tous les quatre, et de passer beaucoup de temps à discuter autour d'un bon repas. Nous avons même une tradition: nous soupons toujours ensemble le 23 décembre, et nous choisissons chaque année un nouveau restaurant. Doris et Louise forment un couple très complice et amoureux, ils ont eu cinq enfants, ils se lèvent tôt et font du sport quotidiennement et ils sont les fondateurs et propriétaires de l'entreprise GUS Groupe Urgence Sinistre. Il s'agit d'une entreprise prospère et avantageusement reconnue dans leur secteur d'activité, avec des franchisés partout au Québec et qui continue à progresser. Ce serait tentant de dire:

«Chanceux!» Si vous saviez... Si vous saviez tous les sacrifices, la détermination, la discipline de fer, la volonté, les efforts, les horaires de fou, les nombreux essais/erreurs. Croyez-moi, il y a peu de chance dans leur réussite. C'est plutôt une question de volonté, d'engagement, d'équilibre et de bonne gestion du temps... Donc, de beaucoup d'efforts. En plus, ils sont positifs, toujours souriants, et ils ont le don de bien s'entourer et de faire ressortir le meilleur des gens qui les entourent. Ils méritent vraiment la vie qu'ils ont, car, ils l'ont choisie et ils ont fait tout ce qu'il fallait pour l'avoir.

Quand on songe à certaines professions, comme celles de médecin, d'avocat, d'ingénieur, d'architecte, ou à des gens d'affaires qui ont réussi, on oublie généralement de prendre en considération les années à s'endetter, les fins de semaine à étudier, les premiers contrats peu payants, etc. On ne regarde que les résultats, jamais les efforts, alors que c'est là justement que réside la clé du succès! C'est pourquoi vous ne m'entendrez jamais dire à quelqu'un que je le trouve chanceux d'être parvenu où il est dans la vie, car cela équivaut pour moi à l'insulter! Cette personne n'est pas «chanceuse» d'avoir réussi, elle le mérite, au contraire, puisqu'elle a pris les bonnes décisions dans le passé et qu'elle a fait ce qu'il faut pour atteindre ses objectifs. Il n'y a rien de bien sorcier là-dedans, le plus difficile étant de s'en tenir à ses résolutions!

C'est le même raisonnement qui me pousse à ne jamais souhaiter «bonne chance» aux gens, mais plutôt à leur souhaiter «bon succès». Pourquoi? Parce que la chance ne dépend pas de vous, tandis que le succès, en revanche, dépend en très grande partie de vous. À quoi sert-il de se concentrer sur les choses sur lesquelles on n'a aucun pouvoir, plutôt que sur celles où nous pouvons justement exercer une véritable influence? Il faut mettre toutes les «chances» de son côté pour réussir, et, pour ce faire, il faut agir en conséquence et avoir un plan d'action. Trop souvent, on dira à quelqu'un «bonne chance» (ou «m...»), à un ami qui passe une entrevue, par exemple, alors que, ce qui compte vraiment, c'est de savoir si cette personne s'est bien préparée, si elle s'est assuré d'avoir les qualifications requises avant de se présenter, si elle a pris les moyens pour contrôler sa nervosité, et ainsi de suite. La chance ou la malchance, cela peut prendre les formes suivantes : éviter de justesse un accident en route pour l'entrevue, ou être malheureusement pris une heure dans un embouteillage, étant donné un accident... Quant au succès, il est au contraire entre les mains de cette personne, parce qu'il est le résultat de ce qu'elle a fait pour obtenir cette entrevue pour un poste qu'elle convoite.

Au début d'une saison de hockey, il ne sert à rien de souhaiter «bonne chance» aux joueurs du Canadien de Montréal, car ce n'est pas le facteur chance qui leur permettra de gagner la coupe Stanley. Ils n'ont pas besoin de chance, ils ont besoin de compter des buts, plus de buts que leurs adversaires! Ils ont besoin de s'entraîner fort tous les jours, d'être sérieux et concentrés, d'éviter les mauvaises fréquentations, ils doivent rester positifs malgré les blessures de leurs coéquipiers, être convaincus de leur potentiel malgré les léthargies, bref, ils doivent avoir confiance en eux et ne jamais baisser la garde. C'est principalement grâce à l'effort collectif qu'ils pourront avoir du succès, parce que le talent, ils l'ont déjà, la preuve étant qu'ils jouent au plus haut niveau et qu'ils sont payés des millions!

Bien sûr, je ne nie pas qu'il y a des cas d'exception dans la vie, des situations où les gens font beaucoup d'efforts et où ils n'obtiennent pas de résultats, ou alors, au contraire, des cas où une personne ne fournit à peu près pas d'efforts, mais obtient néanmoins de très bons résultats. Cela arrive, c'est vrai, mais il ne faut pas perdre de vue que ce sont là des exceptions qui confirment la règle, et je ne pense pas que quelqu'un qui veut réussir dans la vie doit se décourager de ses échecs, ou se dire qu'il peut espérer la réussite en ne faisant rien! Donnons un exemple tout simple. Il est évident que, pour devenir médecin, il faut être intelligent, sinon, c'est impossible de croire qu'on pourra passer au travers de toutes les étapes nécessaires pour pratiquer la médecine. Mais ce qu'il faut surtout pour atteindre ce but, c'est de la détermination, de la volonté. Sans ces qualités, toute l'intelligence du monde ne servira à rien, puisqu'elle ne permettra pas à quelqu'un de devenir médecin. J'ai personnellement été témoin des efforts immenses et constants de mon beau-frère Guy, qui poursuit aujourd'hui une très belle carrière de médecin. Je me souviens de ses années d'études – pratiquement jour et nuit –, des nombreuses gardes de nuit, de fin de semaine, etc. Ouf, je ne me vois pas lui dire : « T'es chanceux ! » Il en va de même pour vous et moi. C'est pourquoi, dans la très grande majorité des cas, dans la plupart des départements de votre *Moi inc.,* vous devrez fournir des efforts si vous voulez obtenir des résultats. Vous ne pouvez compter sur la chance si vous voulez avancer dans la vie, alors, faites comme moi, et bannissez l'expression « bonne chance » de votre vocabulaire. Et souhaitez-vous, à la place, le meilleur des succès.

LA LOI DE LA FRÉQUENCE

Dans les grandes choses, avant l'effort qui réussit,

il y a presque toujours des efforts qui passent inaperçus.

LAURE CONAN

Pour réussir votre vie, pour ne pas être seulement un spectateur de celle-ci, il est capital que vous fassiez des efforts pour que vos rêves s'accomplissent. Mais de la même manière que les déménageurs utilisent des courroies pour transporter de lourds réfrigérateurs sans se briser le dos, vous devez vous aussi apprendre à « forcer » intelligemment... pour que vos efforts ne soient pas inutiles !

Si vous ne voulez pas travailler « dans le vide » et avoir la désagréable impression que ce que vous faites ne sert à rien, la première règle à suivre est la suivante : vous devez être constant dans vos efforts. C'est ce que j'appelle « la loi de la fréquence », qui part d'une observation toute simple, à savoir que bien des choses dans la vie ont besoin de fréquence, de régularité, pour pouvoir fonctionner à leur plein potentiel. Par exemple, chaque être humain doit ingérer un certain nombre de calories tous les jours, à des intervalles réguliers qui correspondent aux repas. De plus, nous ne dormons pas quand ça nous plaît, mais nous avons un cycle de veille et de sommeil qui nous indique le moment propice pour aller au lit, et cette horloge interne fonctionne sept jours sur sept, 365 jours par année. Imaginez-vous ne dormir qu'une ou deux fois par semaine, à n'importe quelle heure : ce serait un véritable cauchemar !

Cette loi de la fréquence, qu'on retrouve dans de multiples domaines de la vie, s'applique merveilleusement bien aux efforts que vous faites pour vous améliorer dans chacun des départements de votre **Moi inc.** Par exemple, le Guide alimentaire canadien recommande de manger cinq à dix portions de fruits et légumes par jour. Mais si vous décidez, pour sauver du temps, de manger 35 portions le dimanche... ce n'est pas pareil ! Et en plus, je vous prédis que vous aurez de la fréquence le lundi... Pas sûr que vous allez apprécier. De la même manière, les spécialistes de la santé s'accordent pour dire qu'il est préférable de faire trois marches d'une demi-heure par semaine plutôt qu'une longue marche d'une heure trente. La fréquence, encore une fois, est synonyme de meilleurs résultats.

Dans le département relatif aux finances, l'effort soutenu et régulier sera lui aussi payant si vous cherchez à épargner de l'argent. Petit à petit, en plaçant une somme à l'abri des dépenses courantes, vous finirez à la longue par accumuler un pécule qui vous servira à réaliser des projets que vous chérissez depuis longtemps. Et que dire du département amoureux ? Attendez-vous chaque année la Saint-Valentin pour manifester votre amour, votre affection ? En amour, c'est bien connu, il faut entretenir la flamme... Et cela ne se fait pas sans une certaine constance, sans la répétition de certains gestes qui témoignent de vos sentiments.

Pour que vos efforts vous rapportent quelque chose, il n'y a rien de mieux que de les intégrer à votre routine. Parfois, il vous faudra accomplir une action tous les jours ; d'autres fois, ce sera trois fois par semaine ou une fois par mois. Mais l'important, c'est la fréquence, la régularité, ce qui ne vient pas sans une certaine discipline. Peut-être qu'il vous sera difficile, au départ, de modifier vos habitudes, mais je suis persuadé que certains gestes, au bout d'un moment, deviendront aussi naturels que de se brosser les dents avant d'aller se coucher ou que d'aller faire l'épicerie. Vous finirez par ne plus vous rendre compte des efforts que cela vous coûte pour faire telle ou telle chose, mais, en contrepartie, vous en verrez les bénéfices et vous ne voudrez plus retourner en arrière !

Évidemment, il vous semblera parfois que vos efforts tardent à donner des résultats, malgré toute votre bonne volonté et malgré toute la discipline dont vous faites preuve. Si le découragement vous guette, si la tentation de tout abandonner vous traverse l'esprit, le principe du bambou chinois pourrait alors vous aider à persévérer, et à ne pas jeter par la fenêtre des semaines, des mois, voire des années d'efforts.

LE PRINCIPE DU BAMBOU CHINOIS

Les œuvres importantes résultent plus rarement d'un grand effort

que d'une accumulation de petits efforts.

GUSTAVE LE BON

Parmi les nombreuses variétés de bambous qui poussent en Chine, il en existe une toute particulière qui met jusqu'à cinq ans avant d'éclore. Une fois la graine plantée en terre, rien n'est visible pendant toutes ces années, à part un minuscule bouton qui pousse lentement à partir du bulbe. Cela veut dire que vos voisins auraient l'impression, s'il vous prenait la fantaisie de faire pousser cette plante, que, pendant cinq ans, vous arrosez la terre pour rien, et ils vous prendraient pour un fou ! Pourtant, pendant ces cinq années, le bambou croît, mais de manière souterraine, invisible à l'œil nu, puisque la racine s'étend sous terre pour former une solide structure verticale et horizontale. Et au bout de cinq années, à supposer que vous ayez été un jardinier attentionné qui a bien pris soin de sa plante, le bambou sortira enfin de sa cachette pour éclore et grandir, pouvant parfois atteindre jusqu'à cinq mètres de hauteur par année ! À l'automne, il meurt, et au printemps, il repousse, et ainsi de suite...

Ce bambou chinois, nous pouvons le voir comme une métaphore de la vie et des efforts qu'il faut déployer pour atteindre nos objectifs. Il nous enseigne la persévérance et la patience face aux épreuves qui se dressent toujours sur notre route et qui peuvent, à l'occasion, sembler insurmontables.

Vous avez investi du temps, de l'énergie, vous avez travaillé fort pendant des mois et vous désespérez d'enfin voir vos efforts récompensés ? Eh bien, ne lâchez pas, continuez ! Il faut sans cesse arroser la graine qui deviendra un jour un beau et grand bambou. Les changements, les résultats prennent souvent beaucoup de temps avant de poindre, mais à la longue, dans la très grande majorité des cas, ils se produisent.

Il ne faut pas renoncer à ses rêves, à ses projets, même s'il faut parfois s'armer de patience avant de profiter du fruit de ses efforts. Par exemple, apprendre une nouvelle langue prend du temps, et on a parfois l'impression de régresser plutôt que de progresser. Souvent, on peut stagner et croire qu'on n'apprend plus rien, qu'on a atteint les limites de ses capacités. Et puis, on fait un voyage à l'étranger et on se rend compte qu'on maîtrise très bien cette langue seconde, mieux qu'on ne le pensait ! La même chose est vraie d'un sportif qui veut améliorer ses performances. Il peut se blesser, ou encore n'atteindre ses objectifs de performance qu'après des années d'entraînement physique intense et quotidien. Mais quelle satisfaction s'il s'obstine, et parvient au but qu'il s'était fixé au départ !

Le principe du bambou chinois est donc là pour vous rappeler qu'il ne faut pas s'attendre, lorsqu'on se met à faire des efforts, à des résultats incroyables et quasi instantanés. Ce serait trop beau ! Mais cela ne devrait pas vous dissuader de faire les efforts nécessaires, voire même de vous acharner s'il le faut. Pour se servir d'une image, on pourrait dire que votre **Moi inc.** est comme un jardin où, dans plusieurs petits lots de terre, vous avez planté un ou plusieurs bambous chinois. Si vous voulez les voir grandir et se développer, il ne reste plus qu'à les entretenir, qu'à en prendre soin, qu'à les arroser, et ce, avec régularité et fréquence... Et qui sait ce que ces bambous donneront dans quelques années ?

3

Jouer son rôle de phare

C'est le rôle essentiel du professeur d'éveiller
la joie de travailler et de connaître.

ALBERT EINSTEIN

Ne vous sous-estimez pas : vous êtes un phare pour plusieurs personnes de votre entourage, parce que vous avez le pouvoir d'exercer une influence positive (ou négative) sur vos proches, vos enfants, vos amis, vos collègues de travail. Du haut de son rocher, le phare guide les navigateurs à bon port en leur indiquant le chemin à prendre, et de la même manière, il vous est possible de jouer ce rôle de phare, de guide, d'éclaireur auprès des gens qui vous sont chers.

Cependant, pour qu'un phare puisse remplir sa mission, trois conditions doivent être réunies. Premièrement, un phare doit toujours être situé à un endroit approprié, c'est-à-dire au bord de l'eau, et pour qu'il soit bien vu, on l'installe généralement sur un promontoire. Autrement dit, il se doit d'être au bon endroit pour être utile au moment opportun. Deuxièmement, pour fonctionner adéquatement, un phare doit nécessairement être bien construit, et enfin, pour être efficace, il faut obligatoirement que sa lumière soit allumée, sinon il ne pourra guider les bateaux, leur montrer la voie à suivre. Ainsi, un phare bien construit et bien situé dont la lumière est défectueuse ne sert plus à rien, puisqu'il ne peut plus remplir correctement le rôle qui est le sien. Cela est vrai d'un phare sur un rocher, et cela l'est tout autant du phare que vous êtes.

Malheureusement, trop souvent, dans la vie, on rencontre des gens qui sont présents physiquement, mais qui ne sont pas là mentalement... Prenons par exemple le cas d'un employé toujours ponctuel, jamais absent, toujours là, donc, au bon endroit, au bon moment, et en pleine possession de ses moyens, mais dont la lumière n'est pas allumée... Cela se traduit par un air bête, par des soupirs, par des remarques désobligeantes, par une attitude désagréable envers ses confrères ou avec ses clients, ce qui empoisonne toujours le climat de travail. Si cette description vous semble familière, j'espère néanmoins que vous ne vous sentez pas visé !

Pour jouer son rôle de phare, pour être un modèle pour autrui et une source d'inspiration, il faut être capable de se motiver, même lorsque ce n'est pas facile de le faire ; il faut apprendre à se donner de l'énergie, même lorsque les conditions ne sont pas les meilleures. C'est ce que j'appelle mettre l'interrupteur à «On», c'est-à-dire choisir d'être allumé, dynamique, enjoué, drôle... ! On aime les gens qui sont à «On» quand il le faut. Quand vous pensez au nombre d'heures que vous passez au travail chaque semaine, chaque année, il devient tout de suite évident que vous avez vraiment intérêt à prendre les choses du bon côté, à faire en sorte que ce temps soit le plus plaisant possible. Il n'en tient qu'à vous de transformer votre attitude pour le mieux, si ce n'est pas déjà le cas, afin que ces heures ne vous paraissent pas interminables, mais plutôt agréables et enrichissantes. Cela dépend de vous.

Évidemment, il est très important de mettre l'interrupteur à «Off» de façon régulière. Nous ne sommes pas des machines, et tout est question d'équilibre. Chaque jour de votre vie, vous devez mettre l'interrupteur à «Off» si vous désirez le mettre à «On» quand il le faut. Prenez vos pauses, prenez du temps pour vous, écoutez votre musique préférée, relaxez, allez faire une marche, PRENEZ SOIN DE VOUS! Mais quand c'est le temps de jouer votre rôle de phare, mettez l'interrupteur à «On».

Il est également de votre responsabilité d'assumer les rôles de phare qui se présenteront à vous au cours de votre existence. J'ai dit plus haut que chaque être humain était un phare, mais j'aimerais ajouter ici que certaines personnes le sont plus que d'autres, et que certaines circonstances dans la vie, si vous les acceptez pleinement, feront de vous des phares très importants pour les autres. Si vous choisissez de devenir parent, professeur, entraîneur sportif, gérant, chef d'entreprise, par exemple, alors, vous devenez aussi, par la même occasion, des phares pour les gens qui vous entourent. Vous pouvez bien sûr refuser de jouer ce rôle jusqu'au bout, mais alors, pourquoi avoir saisi l'occasion? Pourquoi avoir accepté une promotion, un nouveau défi, pourquoi avoir choisi d'être parent? Pour ma part, je crois que, dans la vie, quand l'occasion de devenir un phare se présente, et surtout si on la choisit de plein gré, il ne faut pas reculer devant les responsabilités qui accompagnent ce choix.

Par ailleurs, il y un autre choix que vous aurez à faire, tout au long de votre vie, et qui est tout aussi fondamental. Je veux parler du choix de ses propres phares, car si vous êtes un phare pour les autres, ceux-ci le sont également pour vous. Se responsabiliser dans la vie, pour moi, cela signifie aussi de choisir de s'entourer des bonnes personnes et d'éviter celles qui nuisent à votre bien-être et à votre développement.

Vous serez peut-être surpris par ce que je vais dire, mais je crois fermement que le choix de votre conjoint(e), de vos collègues de travail, de vos amis, qui sont tous à divers degrés des phares pour vous, est véritablement un choix qui vous appartient. Bien sûr, il existe certaines contraintes – inévitables – qui limitent vos possibilités. Par exemple, si vous avez fréquenté telle ou telle école secondaire, vous vous êtes probablement lié d'amitié avec des gens qui fréquentaient cet établissement, plus qu'avec ceux de la polyvalente de la ville voisine. Dans le même ordre d'idées, si vous ne rencontrez jamais Pierre, Jean ou Jacques (ou Pierrette, Jeannette ou Jacqueline), vous ne tomberez certainement pas amoureux de cette personne ! Mais cela ne change rien au fait que parmi toutes les personnes que vous rencontrerez dans votre vie, la décision d'en faire ou non des phares vous revient entièrement.

Cela m'amène à vous parler de l'adolescence, pour illustrer mon propos. Cette période de la vie d'un être humain, on le sait, est particulièrement importante dans la mesure où c'est à ce moment que son identité, dans ses grandes lignes, prend forme et se fige. Il est alors crucial d'avoir de bons phares, parce que ceux-ci auront une influence déterminante pour la suite des choses, et là encore, c'est à la personne elle-même que revient la responsabilité de choisir les bonnes personnes. On ne choisit pas ses parents, certes, mais on peut choisir ses modèles et surtout ses amis. Un adolescent a ainsi la possibilité de s'entourer d'amis qui sont de bons vivants, des sportifs, qui l'encouragent à poursuivre ses rêves et qui l'acceptent tel qu'il est, ou encore de personnes qui sont de mauvaises fréquentations. La responsabilité de ses choix, en fin de compte, est celle de l'individu, et non pas seulement des circonstances. Si vous pensez le contraire, c'est que vous vous résignez à ne pas être le maître de votre destin.

Le Moi inc., je l'ai déjà dit, repose sur deux grands piliers : la valorisation et la responsabilisation. Se valoriser, dans ce cas-ci, c'est reconnaître sa valeur en tant que phare pour les autres. Et se responsabiliser, c'est d'abord assumer les rôles de phare qui sont les vôtres, mais aussi se responsabiliser quant aux choix des individus qui joueront, dans votre vie, le rôle de phare.

LES CERCLES VERTUEUX

Si un aveugle guide un aveugle, tous les deux tomberont dans un trou.

SAINT LUC

Vous aurez sans doute remarqué, comme moi, que les gens qui sourient peu reçoivent peu de sourires en retour, que les airs bêtes attirent les airs bêtes, que les chialeurs se tiennent ensemble, que les pessimistes ont pour amis d'autres pessimistes... Nous connaissons tous l'expression «c'est un cercle vicieux», qui désigne le fait de s'enfoncer de plus en plus profondément dans une situation fâcheuse, désagréable, sans savoir comment s'en sortir. Mais saviez-vous que l'expression contraire existe aussi? Qu'il est possible de s'engager dans ce qu'on appelle un cercle «vertueux»? Je parle aussi souvent de spirales positives et négatives. C'est exactement ce qui arrive aux gens qui décident de sourire aux autres, de leur dire «bonjour»: ils reçoivent des bonjours et des sourires en échange. Ils ont confiance dans ce que la vie peut leur apporter, et la vie, en retour, se montre généreuse à leur égard. Les positifs attirent les positifs, les gagnants attirent les gagnants, les gens qui ont du succès rencontrent des gens qui, comme eux, ont du succès. Il est donc essentiel de briser ces mauvaises habitudes qui nuisent à votre épanouissement, il faut apprendre à sortir de ces cercles vicieux qui vous freinent parfois pour entrer, à la place, dans des cercles vertueux, c'est-à-dire dans des spirales qui vous attirent vers le haut et non vers le bas!

Cela est vrai dans votre vie professionnelle, et cela l'est tout autant dans votre vie personnelle. Par exemple, il vous est certainement déjà arrivé de ne pas avoir envie d'assister à une rencontre familiale. Vous avez eu une grosse semaine, vous êtes fatigué, c'est normal. Pourtant, montrer aux autres qu'on aurait préféré être ailleurs, ou encore sans cesse se répéter à soi-même «j'ai hâte de partir!», «c'est-tu assez plate...», voilà la recette parfaite pour avoir de belles discussions au retour... Ouch!! Mais si vous essayez au contraire de tirer le meilleur parti de la situation dans laquelle vous vous trouvez, tout le monde y gagnera, à commencer par vous-même, puisque vous passerez un moment beaucoup plus agréable. Quant aux gens qui vous entourent, ils garderont de vous un souvenir positif, et ils seront enclins à l'avenir à se montrer plus gentils et ouverts à votre endroit. Et que dire du cercle vertueux que cela pourrait engendrer dans vos relations avec votre conjoint!

Évidemment, certains ne manqueront pas de faire remarquer qu'il y a toujours des moments difficiles dans la vie, des moments où on peut avoir envie de renoncer à son rôle de phare. Mais qui a dit que la vie était toujours une partie de plaisir? Qui a dit, par exemple, que le rôle de parent ne devait pas s'accompagner de remises en questions, de doutes, d'épreuves? Mais dans ce cas comme dans d'autres, que faut-il faire alors? Baisser les bras? Renoncer? Non! Il faut au contraire persévérer, s'accrocher et garder à l'esprit que les autres ont besoin de vous, qu'ils comptent sur vous.

C'est la raison pour laquelle les excuses que l'on entend souvent pour justifier la paresse, la mauvaise humeur ou le manque d'entrain ne sont pas des excuses acceptables à mon sens. La plus commune d'entre elles, c'est de se cacher derrière sa fatigue pour expliquer son comportement amorphe. Pourtant, quand on est payé pour faire un travail, quand on a des responsabilités familiales, fatigué ou pas, il faut faire la *job*! Au lieu de se traîner les pieds, au lieu de chialer, il vaut mieux s'atteler à la tâche avec énergie, et toujours faire de son mieux.

Bien sûr, je reconnais qu'il peut survenir de véritables difficultés à certains moments de nos vies, des maladies, des coups durs. Dans ces cas-là, il est normal que les gens ressentent une baisse de régime, soient tristes ou démotivés. Mais ce dont je parle, ici, ce n'est pas de ces situations critiques; je parle plutôt de la vie de tous les jours, du train-train quotidien. Nous avons tous des hauts et des bas, de bonnes et de moins bonnes journées. Il nous arrive à tous d'être fatigué ou de mauvaise humeur un matin. Mais en même temps, nous nous sommes engagés auprès de nos employeurs, de nos amis ou de notre famille, et nous avons donc un rôle à assumer, coûte que coûte.

D'ailleurs, cette soi-disant fatigue dont se plaignent tant de gens, je me demande bien d'où elle peut venir... Car qui, au Canada, travaille encore 70 heures par semaine (comme c'est le cas dans d'autres pays, où les gens travaillent 12 heures par jour, du lundi au samedi), ne mange pas à sa fin, ne dort pas chaque nuit dans un lit douillet? En moyenne, les Québécois travaillent 35,5 heures par semaine sur les 168 heures disponibles. Cela laisse amplement de temps pour faire autre chose, pour se donner de l'énergie, pour faire en sorte de se lever en forme le matin. Qui n'est pas renseigné sur les bienfaits d'une bonne alimentation et d'une activité physique régulière? Nous sommes surinformés, et, de nos jours, il est très facile de trouver l'activité et le régime alimentaire qui conviennent à notre rythme de vie.

La fatigue ressentie par de nombreuses personnes n'est donc pas véritablement une fatigue physique, mais plutôt une fatigue psychologique, mentale. La meilleure preuve de cela, c'est que, quand la fin de semaine arrive, comme par hasard, ces gens retrouvent leur aplomb, leur énergie! Ils sont capables de se lever très tôt pour aller faire des activités qui les passionnent, tout en étant dans une forme splendide, de même qu'ils sont capables de se coucher à des heures impossibles, alors que, durant la semaine, ils tombent de sommeil juste après le souper... Cela montre bien que ce qui compte vraiment, c'est notre attitude par rapport à nos obligations. Lorsque nous sommes positifs et dynamiques, le temps passe vite et nous ne ressentons pas de fatigue; en revanche, quand nous manquons de motivation, nous voyons nos obligations comme des montagnes, nous avons l'impression de porter un lourd fardeau sur nos épaules.

Pour jouer son rôle de phare, il faut se sortir de cet engrenage, de cette spirale négative, il faut refuser d'être l'esclave de sa fatigue, qui n'est en fait que la conséquence de ce qui se passe entre les deux oreilles. Et il faut aussi accepter d'évoluer.

4

Accepter
le changement

Pour s'améliorer, il faut changer. Donc, pour être parfait,
il faut avoir changé souvent.

WINSTON CHURCHILL

Le monde dans lequel nous vivons a beaucoup changé en quelques décennies à peine, et le rythme de ces changements va en s'accélérant. Il suffit de retourner quelques années en arrière pour s'en convaincre, puisqu'il y a peu de temps encore, les téléphones cellulaires ou les ordinateurs portables, par exemple, n'étaient pas aussi répandus que de nos jours. On dit d'ailleurs que l'évolution technologique qu'il y a eu entre 1900 et 1970 équivaut aujourd'hui à celle qu'il y a en trois ans ! Voilà pourquoi au sein de votre ***Moi inc.,*** le département qui s'occupe de gérer le changement, et surtout de l'accepter, est très important.

Vous et moi allons vivre des changements à tous les niveaux. Au niveau politique, économique, environnemental, il y aura des bouleversements partout. Même au niveau social, nous devrons nous adapter. Par exemple, lorsque mon père était jeune, ils étaient douze enfants. À l'époque, on parlait d'une famille nombreuse. Personnellement, je suis l'aîné d'une famille de six enfants. Eh bien, à mon époque, c'était considéré comme une famille nombreuse. Alors que, de nos jours, une famille nombreuse, c'est beaucoup... de parents! Vous êtes invité à une fête d'enfants, et il y a plus de grands-parents que d'enfants... Incroyable!

Pour une entreprise commerciale, il va sans dire que sa capacité d'évoluer, de s'adapter au changement, est une question de survie. Dans le domaine de la technologie, entre autres, où les progrès sont très rapides, il faut constamment innover pour garder sa place ou pour devancer un concurrent. On peut penser ici à la lutte féroce que se livrent les compagnies japonaises pour que ce soit leur technologie (voitures hybrides, écrans de téléviseur 3D, lecteur DVD, lecteur MP3, cellulaires, ordinateurs, etc.) et non celle de leurs concurrents qui triomphe (et soit adoptée par le grand public), pour comprendre l'importance de l'innovation et la nécessité de se renouveler. C'est d'ailleurs à cause de cette très forte compétition entre les entreprises que les produits changent aussi rapidement. En effet, on évalue que la moitié de ce que l'on consomme aujourd'hui n'existait même pas il y a dix ans, et que, dans la prochaine décennie, il y aura encore plus de changements!

Dans une société en constante évolution, le monde du travail se fait lui aussi de plus en plus exigeant. Ainsi, maîtriser une seconde langue ou retourner aux études pour parfaire sa formation peut s'avérer un choix judicieux pour l'avancement de sa carrière, tout comme de se montrer ouvert à l'apprentissage de nouveaux logiciels ou programmes informatiques. De la même manière, les gens qui entrent aujourd'hui sur le marché du travail doivent pour la plupart s'attendre à occuper beaucoup plus d'emplois que leurs parents, puisque les postes sont aujourd'hui plus précaires, notamment à cause de la mondialisation de l'économie. Ne pas tenir compte de cette nouvelle réalité – ne pas s'y préparer – est le meilleur moyen de ne pas savoir comment y faire face.

Peut-être, vous dites-vous, en lisant ces lignes, que les bouleversements à venir n'affecteront que les autres, mais pas vous. Pourtant, vous commettriez une grave erreur en raisonnant de la sorte, car les changements qui s'annoncent pour les prochaines années seront non seulement très nombreux, mais ils se produiront dans une foule de domaines de l'économie. Vous risquez donc d'être touché, de près ou de loin, par ces changements. Sans compter que plusieurs de ces changements ne sont même pas encore imaginables! La seule chose qui est certaine, pour l'instant, c'est que, parmi les changements à venir, il y en aura des positifs... et des négatifs.

Évidemment, le défi qui nous attend, tant collectivement qu'individuellement, ne concerne pas les changements positifs qui surviendront dans le futur, puisqu'il va de soi que nous profiterons de ceux-ci sans trop nous poser de questions. En revanche, les changements qui auront un impact négatif sur nos vies, qui nous obligeront à changer nos habitudes ou nos modes de vie, seront plus difficiles à accepter. Parmi ces changements moins agréables à supporter, il y en aura certains sur lesquels il sera impossible d'exercer le moindre contrôle ; par exemple, le fait que la Chine, d'ici 25 à 50 ans, deviendra la première puissance économique mondiale, avec toutes les conséquences (positives et négatives) qui en découleront. Mais il y aura aussi des changements qui, quoique négatifs au départ, pourront, à long terme, se transformer en bénéfices pour vous et pour la société.

À titre d'exemple, on peut penser ici aux emplois qui seront perdus au Québec en raison de la délocalisation des entreprises ailleurs dans le monde. Cela se traduira évidemment par des mises à pied et du chômage, mais en même temps, on peut espérer que cela poussera les gens à acquérir de nouvelles connaissances et une formation complémentaire, ce qui sera une bonne chose, tant pour l'individu que pour la société. Un autre exemple d'actualité concerne évidemment les sacrifices que chacun d'entre nous devra faire pour lutter contre les problèmes environnementaux, qui paraîtront peut-être difficiles, au départ, mais qui s'avéreront positifs, non seulement dans un avenir rapproché, mais aussi pour les générations futures, pour nos enfants et nos petits-enfants.

Dans sa vie personnelle et en tant que société, il faut préparer dès maintenant l'avenir, pour ne pas être dépassé par les événements futurs. À cet égard, les gens qui se tiennent prêts, qui se disent que les prochaines années sont remplies de promesses et qui ont confiance en leur capacité à relever les défis qui les attendent, partent avec une longueur d'avance sur ceux qui se désolent au moindre changement, et qui ne veulent pas être bousculés dans ce qu'ils font ou pensent. Refuser le changement, les nouvelles technologies, l'évolution de la société, c'est se condamner, tôt ou tard, à être malheureux. Pour ne pas tomber dans ce piège, il est d'une importance capitale de reconnaître que les choses changent, pour tâcher d'en tirer le meilleur parti.

L'ÈRE DU WOW ET DE LA SÉDUCTION

Les êtres sont régis par des rapports de séduction.

EMMANUEL UNGARO

Parmi les changements survenus ces dernières années, il y en a un sur lequel j'aimerais attirer votre attention. Vous avez peut-être remarqué, comme moi, que nous sommes aujourd'hui entrés dans ce que j'appelle l'ère du «wow» et de «la séduction». Il suffit de se promener un peu, de fouiner dans les boutiques, les grandes surfaces, les bureaux, les hôtels, les restaurants, les banques, pour constater à quel point de grands efforts sont déployés pour faire en sorte qu'on se sente bien lorsque l'on fait nos emplettes ou qu'on veut obtenir un prêt hypothécaire, par exemple. En d'autres termes, on cherche à nous séduire, à faire en sorte qu'on vive une «expérience» agréable quand on va à l'épicerie, à la caisse populaire ou ailleurs. Et comment nous séduire, sinon en nous faisant écarquiller les yeux et en nous faisant nous exclamer: «Wow»!

Il suffit de remonter un peu dans le temps pour se rendre compte que ce souci de la clientèle et ce désir de plaire des entreprises n'étaient pas aussi marqués qu'aujourd'hui. Avant, l'aspect fonctionnel prenait le dessus sur le clinquant, ce qui est encore le cas d'ailleurs dans certains édifices gouvernementaux, ou chez certaines compagnies qui mettent davantage l'accent sur les prix que sur la beauté de leurs entrepôts... Néanmoins, la tendance générale est à l'embellissement, et on peut dire sans se tromper que, pour la plupart des entreprises et des organisations, soigner l'image qu'elles projettent est plus important qu'auparavant.

Or, l'ère du «wow» et de la séduction, à force de prendre de la popularité, a aussi eu pour conséquence de changer les attentes qu'ont les gens les uns envers les autres. En effet, on ne se contente plus, aujourd'hui, lorsqu'on va dans un bon restaurant, de manger du spaghetti à la sauce bolognaise avec n'importe quel vin rouge ; on désire des mets raffinés et des vins plus élaborés. De la même manière, les gens sont devenus plus exigeants avec les autres... Je ne dis pas que c'est tout le temps une bonne chose, je ne fais que constater cette réalité. Aujourd'hui, en moyenne, les gens sont plus instruits que par le passé, ils sont plus scolarisés, mais surtout, ils ont accès à une quantité d'informations – qui semblent toutes incroyables –, et ce, à une vitesse inimaginable il y a seulement dix ou quinze ans. Les chaînes de télévision numériques, l'Internet haute vitesse, les cellulaires, en plus des médias traditionnels – comme les journaux et les magazines – ont rendu les gens beaucoup plus informés que par le passé, et plus conscientisés aussi. En un clic de souris, ils peuvent choisir quel thérapeute leur convient le mieux, ils peuvent changer leur compagnie d'assurances ou de téléphone, ou encore magasiner leur prochain voyage dans le sud sans avoir besoin d'un intermédiaire... Il faut donc, pour attirer leur attention et se démarquer, être plus séduisant que par le passé, avoir une plus-value à offrir, sinon, on passera inaperçu.

De nos jours, les gens sont exigeants dès qu'ils vous rencontrent, parce qu'ils savent ce qu'ils veulent et ils savent qu'ils peuvent le trouver. Leur «passer un sapin» est devenu plus difficile, et les séduire n'est plus aussi évident non plus, car ils se laissent moins facilement impressionner. Pourtant, comme nous vivons dans une ère où l'aspect «séduction» a pris une très grande importance, les gens, plus que jamais, désirent être séduits et impressionnés. On peut regretter l'époque où le «wow» et la séduction n'étaient pas aussi omniprésents, sauf que cette époque est révolue. Aujourd'hui, il faut prendre en considération cette réalité, et s'y adapter.

5

Faites-vous plaisir!

Le bonheur, c'est le plaisir sans remords.

Socrate

La meilleure recette pour séduire et, plus généralement, pour avoir du succès, est une recette simplissime : il faut avoir du fun... Ayez du fun! Pensez-y deux minutes : comment faire exploser son potentiel, comment espérer être apprécié des autres, si on n'a pas de plaisir dans la vie? C'est impossible! L'être humain est venu au monde pour avoir du fun, nous avons été conçus dans le fun... Alors, nous sommes venus au monde pour avoir du fun.

Déjà, dans l'Antiquité, certains philosophes avaient fait du plaisir le but de l'existence, qu'il fallait absolument rechercher si on voulait être heureux. Cette doctrine, appelée l'hédonisme, nous invite donc à faire de notre vie l'expérience la plus plaisante qui soit. Mais est-ce que cela signifie que tous les plaisirs sont souhaitables, ou alors que nous devons à tout prix fuir les moments désagréables? Bien sûr que non! Il existe en effet des plaisirs qui sont très vifs, mais qui sont aussi très éphémères. On peut ici penser à l'ivresse ou aux excès de table, qui sont agréables sur le coup, mais qui mènent par la suite à plus de désagréments qu'autre chose! À l'opposé, il y des périodes dans la vie qui peuvent de prime abord sembler pénibles ou douloureuses, mais qui, à long terme, s'avéreront une source inestimable de plaisir et de bonheur. Épargner pour l'avenir plutôt que dépenser inutilement son argent, passer des journées entières à étudier en vue d'un examen; ces deux exemples ne sauraient être qualifiés d'activités particulièrement agréables, mais, plus tard, combien de bénéfices et de moments de plaisir découleront de ces efforts! Il faut donc s'efforcer d'avoir du plaisir dans la vie, mais il faut aussi savoir doser les plaisirs, et aussi accepter de faire les efforts qui mèneront à un plus grand plaisir dans l'avenir.

Évidemment, il y a un domaine de votre vie où il faut absolument que le plaisir l'emporte sur le déplaisir, parce que, sinon, votre existence vous semblera misérable: c'est le travail. Étant donné le nombre d'heures que vous consacrez à votre emploi, il est impératif que vous en tiriez le maximum de plaisir, de satisfaction, puisqu'il est difficile de s'imaginer comment vous pourrez être heureux dans la vie si vous ne l'êtes pas au travail. Est-ce que cela veut dire que votre travail se doit d'être toujours passionnant? Vous savez comme moi que c'est impossible. Dans la vie, il y a toujours des moments moins agréables, des journées où ça va moins bien, et il faut les accepter. Pourtant, si, de manière générale, vous appréciez votre travail, si vous êtes conscient qu'il vous procure beaucoup de satisfaction, alors, vous serez en mesure de surmonter les difficultés qui se présentent à vous, les tâches moins valorisantes, les périodes où le travail est plus répétitif ou ennuyant. Vous vous souviendrez qu'hier c'était agréable, et que demain le sera sans doute.

Il me semble que, de nos jours, trop de gens ont une vision idéalisée du travail, une vision irréaliste: ils voudraient que leur travail les comble à tous les niveaux, qu'il leur permette de développer la majorité des facettes de leur existence. On attend du travail ce qu'on attend de nos relations amoureuses: on voudrait être à 100 % comblé par le travail, que la magie opère sans arrêt, qu'il n'y ait jamais de problèmes! Pourtant, cette description du travail (ou de l'amour) ressemble plus à un conte de fées qu'à la vraie vie. Dans le monde réel, les choses ne se passent jamais de la sorte, mais l'important, c'est de ne pas perdre de vue l'essentiel, de ne pas oublier pourquoi on fait ce métier et ce qu'il nous procure, de façon générale, comme bénéfices et comme satisfaction. Il faut voir le bon côté des choses, et, surtout, ne pas s'empoisonner l'existence avec une attitude négative, qui ne sert à rien!

6

Les négatifs
et les positifs

Il faut savoir résister au pessimisme des autres.

GUY BEDOS

Il y a toujours deux manières de considérer ce qui nous arrive dans la vie, que ce soit au travail ou ailleurs : avec optimisme ou avec pessimisme. L'optimiste, ou le positif, est celui qui voit toujours le verre à moitié plein, et qui se dit que même les épreuves sont des occasions d'apprendre, que les échecs n'en sont pas vraiment puisque ce ne sont que des étapes sur la route d'un plus grand succès. Le pessimiste, ou le négatif, est, au contraire, la personne qui voit toujours le verre à moitié vide, pour qui une toute petite contrariété devient une montagne et une occasion supplémentaire d'affirmer que la vie est laide ou injuste. En passant, le verre à moitié plein est l'image la plus forte et la plus précise à utiliser si voulez expliquer l'attitude positive à vos enfants. Je ne sais pas si vous êtes comme moi, mais je trouve pour ma part qu'il y a beaucoup trop de négatifs autour de nous, et qu'il serait grand temps que les gens positifs arrêtent de leur laisser toute la place.

La principale caractéristique des personnes négatives est leur incroyable capacité à se concentrer sur les choses désagréables qui leur arrivent, et presque jamais sur les bonnes choses, sur les bons coups qu'ils font. Des exemples de cette tendance qu'ont les négatifs à tout voir en noir, on peut en trouver des tonnes. Il suffit de penser à ces gens qui se plaignent d'avoir eu un mauvais client dans une journée, sur des dizaines, ou encore à ces autres personnes qui n'apprécient pas à leur juste valeur leurs amis sous prétexte qu'ils ont tel ou tel défaut, qu'ils ne sont pas ponctuels ou toujours disponibles. En d'autres termes, les négatifs, au lieu d'apprécier ce qu'ils ont, cherchent constamment ce qu'ils n'ont pas, ce qui les rend évidemment malheureux. Avoir deux ou trois semaines de vacances par année, ce n'est peut-être pas idéal pour certains, mais c'est quand même mieux que rien. Il importe donc de les apprécier et d'en profiter quand elles arrivent, plutôt que de regretter qu'elles ne soient pas assez longues, ou se dire que d'autres sont plus chanceux que nous et ont droit à plus de vacances!

La vie étant ce qu'elle est, des difficultés peuvent surgir à n'importe quel moment, et il est donc ridicule de penser que toutes nos actions seront couronnées de succès. Mais doit-on pour autant les considérer comme des échecs? Le négatif sera toujours là pour vous rappeler qu'il avait prédit que les choses ne fonctionneraient pas (je te l'avais dit...), car, bien sûr, rien ne peut tourner rond dans la vie pour ce genre de personnes, qui prennent souvent plaisir, il faut le dire, aux malheurs des autres... Vous vous en doutez, je suis de ceux qui n'aiment pas ces gens qui veulent toujours vous attirer avec eux vers le bas, dans le fond du puits, plutôt que vers le haut, vers la lumière. Et c'est pourquoi je pense que les gens positifs ont deux responsabilités à prendre pour lutter efficacement contre les gens négatifs et, de manière générale, contre le pessimisme, beaucoup trop répandu dans notre société.

La première responsabilité que l'on a, à titre de personne qui voit la vie positivement, c'est de prendre la parole, de s'exprimer, pour ne pas laisser toute la place à nos «adversaires». Je ne sais pas si vous avez remarqué la place énorme que les négatifs occupent au Québec. On dirait qu'ils sont partout! On en retrouve à la télévision, à la radio, dans les journaux, et à considérer l'espace médiatique qu'ils occupent, on serait même tenté de croire que leur attitude et leur vision du monde sont partagées par la majorité des gens. Ce qui est faux! Je pense plutôt que le problème, dans notre société, c'est que nous nous taisons quand un négatif parle. Je ne sais pas trop pourquoi, mais par réflexe, par politesse peut-être, on ne répond généralement pas aux propos que tient une personne négative. On se dit à soi-même que cette personne raconte n'importe quoi, mais on se garde bien de répliquer, d'exprimer son désaccord. Pourtant, comme le dit le proverbe, «qui ne dit mot consent». Alors, il faut arrêter de consentir, car, en restant silencieux, on permet au discours négatif de nous empoisonner l'existence.

Il faut donc parler, répliquer du tac au tac à ceux qui nous affligent de leurs pensées néfastes. Il faut combattre le feu par le feu, le négatif par le positif! Par exemple, quand vous avez vraiment aimé un film et que, lors d'une conversation avec quelqu'un, cette personne ne cesse de le critiquer parce qu'elle l'a détesté, qu'est-ce qui vous empêche d'exprimer votre opinion et de dire que, de votre côté, vous l'avez beaucoup apprécié? En quoi son opinion ou sa vision des choses est-elle meilleure que la vôtre? De la même manière, si vous êtes d'accord avec une décision de votre employeur, ou du gouvernement, pourquoi ne pas le dire, surtout que la personne négative, elle, ne se gênera pas pour se plaindre! Occuper le terrain, prendre la place qui vous revient; en tant que personne positive : voilà ce que vous devez faire.

Votre deuxième responsabilité, qui est peut-être plus importante que la première, c'est de ne pas vous laisser influencer ou contaminer par les négatifs autour de vous. Évidemment, certains membres de votre famille ou certains de vos proches sont peut-être des pessimistes ou des négatifs, et je ne suis pas en train de dire que vous devez les rejeter. Ce que je dis, par contre, c'est qu'ils ne doivent pas pour autant réussir à ombrager votre vision optimiste de la vie. La vie est courte, et comme nous sommes tous très occupés, nous manquons souvent de temps pour faire des activités qui nous nourrissent vraiment ou pour rencontrer des gens qui nous font du bien. Alors, pourquoi perdre son temps avec des gens qui voient toujours tout en noir? Puisque vous êtes l'unique responsable de la place que vous accordez aux gens dans votre vie, vous gagnez à fréquenter des gens positifs, qui vous inspireront et vous encourageront. Pour avoir du succès dans la vie, il faut savoir bien s'entourer.

7

La fierté

il faut endosser ses erreurs comme on endosse ses vertus... avec fierté!

MADELEINE FERRON

J'ai déjà dit que pour avoir du succès dans la vie, il fallait avoir du plaisir, mais ce n'est pas suffisant : il faut aussi être fier. Fier de ce que l'on est, fier de ce que l'on fait. Les gens qui sont fiers sont appréciés, admirés. Les gens qui sont fiers ont du succès dans la vie parce qu'ils ne s'imaginent pas qu'ils n'ont pas de valeur, au contraire, ils savent ce qu'ils valent. Et rien ne vous empêche, vous aussi, d'être fier de ce que vous êtes.

Je suis persuadé que vous avez déjà accompli de belles choses dans votre vie, que vous avez plusieurs réalisations à votre actif, et de tout cela, vous pouvez être fier. Il ne s'agit pas de vous vanter, mais plutôt de reconnaître vos réussites, et notamment les efforts qui vous ont permis d'atteindre ces objectifs. Comme tout le monde, vous avez certes des défauts, mais aussi des qualités inestimables, et l'un de vos buts devrait être de vous servir au maximum de ces atouts que vous possédez et même de les faire fructifier davantage. Vous serez alors encore plus fier de vous !

Je suis quelqu'un qui aime les gens, mais pas tous. J'ai beaucoup de difficultés avec les négatifs, les pessimistes et les «je suis juste». Vous les connaissez, il y en a partout. Ils se décrivent toujours en disant «je suis juste livreur... je suis juste temps partiel...». Vous n'êtes pas «juste» un employé de bureau, un commis, un professeur, pas juste l'ami d'un tel, ou le conjoint d'une telle! Vous êtes un rouage important dans l'entreprise pour laquelle vous travaillez, dans votre famille, dans votre communauté. Vous contribuez au bien-être des gens qui vous sont proches, de multiples façons, et il est important que vous soyez fier de cet apport qui est le vôtre, quel qu'il soit.

Nous connaissons tous l'expression: «Il n'y a pas de sot métier.» Mais est-ce que nous réalisons à quel point elle est appropriée? Imaginez un instant que les éboueurs décident de faire la grève, comme ce fut le cas à Naples, en Italie, il y a quelques années. Les ordures se mirent alors à s'empiler dans les rues, les odeurs nauséabondes se répandirent et les risques pour la santé également. Cela nous démontre bien l'importance d'un travail généralement peu valorisé, mais quand même très important. Par son travail, un éboueur contribue au bien-être de la société dans laquelle il vit, il est un maillon important de la chaîne. Ainsi, il n'est pas «juste» un chauffeur de camion, ou quelqu'un qui ramasse des vidanges...

Selon moi, il n'y a personne qui est «juste» quelque chose. Ceux qui se qualifient de la sorte (et il y a en plus que vous pensez!) oublient de voir les choses dans leur globalité, ils ne sont pas objectifs. Et surtout, ils oublient de tirer de la fierté de ce qu'ils font, de ce qu'ils sont. Ils ne sont pas conscients du fait que les autres ne peuvent pas être fiers à leur place. La fierté, ça part de soi, pas des autres. Si vous êtes fier, si vous connaissez votre propre valeur, les autres finiront par la reconnaître aussi, et par avoir de l'estime pour vous.

Vous pouvez tirer de la fierté du fait que vous jouez d'un instrument de musique, que vous avez de bons résultats à l'école, que vous excellez dans un sport et de mille autres choses encore. Surtout que, pour parvenir à des résultats satisfaisants, dans la plupart des cas, vous y avez mis les efforts nécessaires, ce qui devrait vous rendre encore plus fier de vos accomplissements.

8

Sympathique-professionnel

C'est seulement une fois que l'on a installé un rapport de confiance
et de sympathie que l'on est en position d'influencer quelqu'un.

DUANE SMELSER

L'une des caractéristiques fondamentales de l'être humain, c'est qu'il peut sans cesse s'améliorer, se perfectionner. Cette capacité vous permet de développer encore et encore de nouvelles compétences qui vous aideront à mieux performer dans de multiples domaines, et notamment au travail. Pourtant, si vous voulez avoir du succès dans la vie, il faut, en plus de vos compétences, que vous ayez en main un autre atout essentiel : il faut que vous soyez «sympathique». En effet, trop de gens s'imaginent qu'ils réussiront dans la vie en vertu de leurs seules compétences, de leur seul professionnalisme. C'est faux, complètement faux. Le «vrai succès», vous l'aurez uniquement si on vous trouve **sympathique *et* professionnel**. L'un ne va pas sans l'autre, et à ce chapitre, c'est votre côté sympathique (ou pas!) qui se fera remarquer le premier, d'où son importance.

On dit souvent, avec raison, qu'il est difficile de se défaire d'une première impression. Or, qu'est-ce que les gens remarquent en premier? Vos compétences, ou vos habiletés sociales? Ils vont évidemment remarquer, d'abord et avant tout, si vous êtes sympathique et avez de l'entregent. La nature humaine est ainsi faite: nous sommes d'abord attirés par les gens avant d'être attirés par leurs compétences. Nous cherchons d'abord à savoir quelles sont les qualités d'un individu avant de nous demander ce que cette personne fait dans la vie et si elle le fait bien. La première impression que l'on se forme d'un individu est donc émotive, intuitive. On juge la personne, ensuite, ses compétences.

Mais il y a une autre raison pour laquelle il est important de développer votre côté sympathique, si vous ne l'avez pas déjà fait, et c'est parce que les gens, de manière générale, sont beaucoup plus indulgents, patients, compréhensifs envers les individus qu'ils trouvent sympathiques. On pardonne plus facilement à quelqu'un qu'on trouve sympathique et on a aussi tendance à donner plus d'occasions de se reprendre à quelqu'un qui montre de la bonne volonté et qui est de commerce agréable. Cela est vrai dans toutes les sphères de votre vie, et pour vous en convaincre, vous n'avez qu'à penser à quelqu'un qui vous énerve, ou que vous trouvez désagréable, et vous verrez à quel point vous avez la mèche courte avec cette personne!

Lorsque vous pensez aux compétences, aux habiletés d'une personne, c'est votre côté rationnel qui prend le dessus. Vous raisonnez, vous établissez une liste de critères pour déterminer en quoi cette personne excelle. Cependant, pour vous démarquer de vos concurrents, qui sont eux aussi compétents, pour la plupart, vous devez avoir quelque chose de plus à offrir, et ce quelque chose, c'est la qualité de vos relations humaines. C'est souvent, d'ailleurs, ce qui fait la différence entre l'obtention ou non d'un contrat ou d'un emploi. Car à compétences égales, qui choisir? La personne qui semble froide et distante, ou celle qui est enjouée, sympathique et sociale? Poser la question, c'est y répondre.

Évidemment, je ne suis pas en train de dire qu'il ne faut pas être compétents, au contraire. Si vous êtes sympathique et «chaudron», c'est-à-dire incapable d'accomplir le travail pour lequel on vous a embauché, oubliez ça. De nos jours, la compétence est non négociable, vous êtes obligé d'être compétent et professionnel. Par contre, à compétences égales, on choisira toujours la personne la plus sympathique. Quand je donne des conférences aux adolescents, je leur explique toujours l'importance de la politesse et du respect. Un jeune de 16 ans qui désire un emploi et qui se présente à une entrevue aura toujours plus de succès s'il est poli et s'il vouvoie l'employeur.

J'ai le privilège de rencontrer des gens de tous les milieux et de toutes les régions chaque semaine. Eh bien, croyez-moi, les gens qui réussissent le mieux sont les plus sympathiques. Quand des clients me disent que les membres de mon équipe – Stéphanie et les deux Robert – sont sympathiques et professionnels, c'est le plus bel hommage qu'on puisse nous faire.

9

En scène, hors scène

Hors scène, je suis malheureux.

GAD ELMALEH

À force de m'intéresser aux conditions du succès, tant professionnel que personnel, j'en suis venu à m'intéresser à un concept que j'adore, parce qu'il peut être transposé à de multiples situations. C'est le concept du «en scène/hors scène».

L'origine de ce concept vient de Disney World en Floride. À Disney, vous ne verrez jamais un employé avoir l'air bête... Impossible. Vous ne verrez jamais Mickey Mouse, la cigarette au bec, en train de se plaindre de Minny... À Disney, c'est la magie et on veut que les clients ressentent cette magie. Donc, quand les personnages ou les employés sont sur le terrain, ils sont «en scène». Par contre, pour pouvoir performer, ils doivent prendre soin d'eux. Il y a donc des espaces réservés pour eux, où ils peuvent se reposer, des espaces que vous ne verrez jamais.

C'est le «hors scène». Eh bien, ce concept s'applique partout, tant dans votre vie personnelle que professionnelle.

Pour comprendre l'idée du «en scène/hors scène», il peut être utile de s'imaginer un acteur de théâtre qui entre en scène. Tout de suite, la magie doit opérer, tout de suite, les spectateurs doivent être transportés par le jeu du comédien, qui, au fond, est là pour ça. Être en scène, pour un acteur, cela veut dire ne rien laisser transparaître de ce qui pourrait interférer avec son objectif, qui est d'émouvoir le public. L'acteur, qu'il soit fatigué, triste, malade ou autre, que l'éclairage ou le son ne soient pas à point ce soir-là (qui sont tous des éléments qui ont lieu «hors scène»), doit faire abstraction de tout cela pour livrer sa performance. Il va de soi que cet acteur joue un personnage qu'il n'est pas vraiment, mais son travail consiste précisément à faire oublier aux spectateurs que ce n'est pas son propre rôle qu'il joue. Il est en scène et il lui faut accomplir un certain nombre d'actes pour que la pièce soit une réussite, et rien n'importe pour lui si ce n'est cette réussite.

Dans la vie quotidienne comme au théâtre, nombreux sont les moments où vous entrez en scène. Il peut s'agir de servir des clients, de dialoguer avec des collègues ou encore d'aller dans des réunions familiales. Dans tous ces contextes et dans bien d'autres, vous connaissez parfaitement votre rôle, vous savez exactement ce qu'on attend de vous, et c'est cela qui constitue votre «en scène». La question qu'il faut se poser est alors la suivante : allez-vous assumer le rôle qui est le vôtre (et pour lequel on vous paie, lorsqu'il s'agit de votre travail), ou allez-vous au contraire vous désister? Allez-vous accepter de faire face à vos responsabilités ou allez-vous plutôt chercher des prétextes pour excuser votre conduite et ne pas être totalement dévoué à ce que vous avez à faire? Chaque fois, c'est à vous de répondre à ce genre de questions, et je n'ai pas besoin de vous dire de quel côté de la médaille réside le succès...

Trop souvent, dans notre société, nous sommes témoins de «hors scène» alors que ce n'est pas le moment, pas le lieu pour manifester ce genre de comportements. Les caissières qui ne font pas attention à vous à l'épicerie, les employés qui ne vous disent pas «bonjour» quand vous entrez dans un magasin, les téléphonistes qui sont bêtes comme leurs pieds, voilà des exemples de situations où le «hors scène» prend le dessus sur le «en scène». Pourtant, dans tous ces cas, les gens qui travaillent ont fait le choix d'être là, ils ont postulé pour obtenir l'emploi, ont passé l'entrevue et se sont engagés auprès de leur patron à livrer la marchandise, comme on dit, c'est-à-dire à être «en scène» un certain nombre d'heures par jour en échange d'un salaire. Alors pourquoi ne le font-ils pas?

Quand vous allez chez le médecin, vous ne voulez pas savoir si vous êtes son cinquantième client aujourd'hui ou si tous ses patients avaient la grippe ce jour-là. Ce que vous désirez, c'est qu'il vous soigne comme si vous étiez le seul et unique patient de toute sa vie, qu'il vous explique en détail ce que vous avez, qu'il vous rassure, vous conseille, etc. Vous n'avez pas à savoir s'il vit des tensions avec ses collègues ou si sa secrétaire vient de démissionner pour aller travailler pour un autre médecin. Vous voulez qu'il assume le rôle qui est le sien, pour lequel vous le payez à travers les impôts que vous versez au gouvernement. Vous voulez que votre médecin soit «en scène» lorsqu'il est devant vous, et jamais «hors scène».

De la même manière, le serveur au restaurant n'a pas à passer sa frustration sur vous parce que le *rush* du midi s'est mal déroulé, ou parce que son chef n'est pas dans son assiette ce jour-là. Il doit faire comme si de rien n'était et vous servir comme un professionnel, quoi qu'il arrive, parce que le plus important, c'est le moment présent, c'est ce qui est en train de se produire, là, maintenant. Le «en scène» veut dire qu'il laisse dans la cuisine ce qui doit y rester, et quand il entre dans la salle à manger, il est souriant, dynamique, à votre service. Pas de nonchalance, pas d'indifférence envers les clients, pas de remarques ou de gestes déplacés quand on est «en scène». Les autres n'ont pas à subir les frais de ce qui se passe en coulisse, de ce qui se passe «hors scène».

Et contrairement à l'humoriste Gad Elmaleh, cité au début de ce chapitre, qui affirme être malheureux «hors scène» (ce qui doit ici être compris au sens strict!), il est de votre responsabilité de bien vivre les moments où vous n'avez pas à performer devant autrui, devant un public. Chaque jour, chaque semaine de votre vie, vous devez vivre votre «hors scène», c'est une question d'équilibre. Prenez du temps pour vous... Vivez pleinement votre «hors scène». Consacrez du temps à ce qui vous plaît vraiment, à ce qui vous procure de grandes satisfactions, et il est de votre devoir de ne pas saboter ce temps précieux. Profitez au maximum des moments qui vous appartiennent, faites-les fructifier. Mais... quand c'est le temps d'être «en scène», soyez «en scène»... Et ne vous laissez pas distraire par ce qui doit rester caché, soit le «hors scène»!

10

L'art d'apprécier ce qu'on a

Se réjouir de ce que nous considérons comme des acquis :
une famille, un toit, une bonne santé, nous fait apprécier notre vie.

PHILLIP WATKINS

Je suis certain que vous connaissez au moins une personne qui semble tout avoir dans la vie : un couple qui semble parfait, de beaux enfants, un travail apprécié et valorisant, une belle maison, ainsi de suite. Et pourtant, vous êtes toujours étonné de constater, quand vous lui parlez, que cette personne ne semble pas heureuse, qu'elle est stressée, triste, insatisfaite. À l'opposé, vous connaissez sûrement quelqu'un dont la vie, de l'extérieur en tout cas, paraît beaucoup moins enviable et qui, pourtant, ne cesse de vous surprendre par sa joie de vivre, sa bonne humeur, son optimisme. Comment expliquer cela ? À mon avis, une partie très importante de la réponse à cette question tient à l'appréciation que l'on a de sa vie, qui varie d'un individu à l'autre.

Pour devenir une meilleure personne, pour faire de son **Moi inc.** une réussite sur toute la ligne, il est primordial de développer une attitude, un état d'esprit qui nous fait apprécier ce qu'on a, ce que la vie a à nous offrir. D'ailleurs, plusieurs psychologues se sont intéressés ces dernières années à cette dimension de notre existence, qu'ils appellent la «gratitude», et qui consiste à éprouver de la «reconnaissance» pour ce que les autres font pour nous, mais aussi pour ce que nous sommes et pour tout ce que la vie peut nous apporter de bon. Et ils ont découvert qu'il y avait de nombreux avantages à adopter une telle attitude.

Peut-être avez-vous déjà reçu par la poste – ou, de nos jours, par courriel – une belle lettre qui vous remerciait du travail que vous aviez fait pour quelqu'un, du temps que vous lui aviez consacré, ou encore du bonheur que votre présence lui avait procuré. De telles démonstrations de reconnaissance font toujours chaud au cœur, et ce, non seulement pour la personne qui reçoit cette marque d'appréciation, mais également pour la personne qui l'envoie. Un professeur de psychologie de l'Université du Michigan, Chris Peterson, fait même écrire à ses étudiants, chaque année, une «lettre de gratitude» dédiée à une personne qui a eu une influence majeure dans leur vie. Et ses étudiants adorent le faire, car écrire cette lettre leur fait le plus grand bien!

Il est facile de comprendre pourquoi la reconnaissance exprimée dans une telle lettre, tant pour la personne qui la reçoit que pour celle qui l'écrit, est une fort bonne chose. Mais alors, si de simples mots écrits sur du papier, ou sur un écran d'ordinateur, s'avèrent aussi bénéfiques, imaginez-vous l'impact que la reconnaissance, que l'appréciation peut avoir, de manière globale, dans votre vie? Apprécier ce que la vie nous a donné, plutôt que de se concentrer sur ce qui nous manque, peut sembler anodin, et pourtant, c'est dans les petits gestes que les grands changements prennent forme. Apprendre à dire «merci» aux gens qui nous rendent service, apprécier le merveilleux cadeau qu'est la vie, apprécier une belle journée, le fait d'avoir un toit et de quoi manger, voilà des choses que l'on peut faire tous les jours, qui ne coûtent rien et qui font du bien, beaucoup de bien. Trop de gens dans notre société travaillent fort toute leur vie, sans jamais se faire remercier pour leurs efforts. Ce manque de gratitude à leur égard est inacceptable.

Voilà pourquoi développer consciemment votre sentiment de gratitude est l'une des choses les plus intelligentes que vous puissiez faire, et vous ne tarderez pas à en ressentir les bénéfices. En effet, plusieurs études en psychologie positive tendent à démontrer que les gens qui apprécient les bonnes choses qui leur arrivent dans la vie, qui cultivent donc la gratitude plutôt que le ressentiment et le mécontentement, en retirent de nombreux avantages. Ces personnes confirment souvent se sentir mieux dans leur peau, et on a constaté qu'elles ont plus facilement tendance à pardonner. De plus, elles sont moins susceptibles d'être déprimées, elles manifestent une plus grande ouverture d'esprit envers les autres, et ceux-ci le leur rendent bien, puisqu'il est évident qu'on a plus envie d'être aimable avec quelqu'un qui nous témoigne son appréciation!

Pour dire les choses autrement, chaque fois que vous faites l'effort de penser à tous les privilèges que vous avez en tant que Nord-Américain (et aussi en tant qu'être humain vivant au XXIe siècle), chaque fois que vous êtes envahi par un agréable sentiment d'appréciation pour tout ce que vous avez (et ce, même lorsque vous vivez une journée «ordinaire», c'est-à-dire plus ou moins agréable), alors, à ce moment, vous risquez d'influencer positivement votre humeur et votre degré de bonheur, et de ressentir des émotions positives. Je ne sais pas pour vous, mais, de mon côté, je trouve que c'est un «risque» qui en vaut la peine!

Apprécier ce que la vie nous a donné, à bien y penser, est quelque chose qui est à la portée de tout le monde. Et en plus, ça ne coûte rien! À titre de conférencier, je voyage beaucoup et j'ai souvent à penser à une foule de petits détails pour que, chaque fois que j'entre en scène, tout se déroule comme prévu. Cela peut parfois être stressant, et comme dans n'importe quel travail, certains aspects de celui-ci me plaisent moins que d'autres. Pourtant, j'ai décidé, il y a longtemps de cela, de ne pas me concentrer sur ce que je n'aimais pas dans mon travail, pour au contraire mettre l'accent sur tout ce qu'il m'apportait. Et les avantages sont nombreux, ce qui explique pourquoi j'adore ce métier et pourquoi je le pratique encore! Au départ, je l'avoue, ce n'était pas toujours évident de penser de cette manière, et de me concentrer sur mon appréciation de ma vie et de mon travail. Mais, avec le temps, je peux dire que cette habitude a grandement amélioré mon quotidien, et aussi celui des gens qui m'entourent, auxquels j'essaie d'ailleurs de témoigner, aussi souvent que possible, ma reconnaissance. Ce n'est pas très compliqué. Il suffit de s'y mettre et de se rappeler, quand on a envie de s'apitoyer sur son sort, tout ce qu'on a. Le reste suit tout naturellement.

Il est facile de voir à quel point cette attitude peut s'appliquer aux différents départements du **Moi inc.** Je ne donnerai ici que quelques exemples, mais vous pourrez, j'en suis certain, en trouver des dizaines d'autres. Et j'espère, surtout, que vous commencerez dès aujourd'hui à apprécier ce que vous avez!

Prenons par exemple le département «vacances», et supposons que vous êtes de ceux qui ont trois semaines de vacances par année. Bon, c'est vrai, trois semaines de vacances, ce n'est pas tant que ça, et il y des gens qui en ont plus que vous, je vous le concède. Mais trois semaines, c'est mieux que rien, non? À l'échelle mondiale, vous faites quand même partie, avec ces trois semaines de vacances, de la minorité d'êtres humains qui sait ce que le mot «vacances» veut dire... Et que dire des jours fériés qui s'y rajoutent? Mais vous avez toujours raison, trois semaines, c'est peu. La question qui se pose, maintenant, étant donné que vous ne pouvez en obtenir plus pour le moment, c'est ce que vous comptez faire de vos vacances. Allez-vous les passer à chialer parce que vous n'en avez pas assez? Allez-vous passer le reste de l'année à attendre ces vacances sans apprécier, pendant ce temps, les agréables moments qui passent? Puis, allez-vous regretter que vos vacances aient passé trop vite? Vous pouvez bien sûr faire tout cela, surtout si vous voulez vous rendre malheureux! Mais vous pouvez aussi apprécier vos vacances quand elles arrivent et en garder un très bon souvenir. Vous vous êtes reposé, vous avez passé du bon temps, vous avez fait des choses que vous aimez faire. Pourquoi ne pas le reconnaître et l'apprécier ?

On pourrait multiplier les exemples, mais je n'en donnerai qu'un autre. Imaginez-vous un homme du Moyen Âge qui pourrait voyager dans le temps, et qui atterrirait dans un supermarché moderne. Quel ne serait pas son étonnement devant l'abondance de la nourriture disponible, dont la majorité lui serait totalement inconnue ! On a trop souvent tendance à oublier que nous vivons à une époque et dans un pays où la variété et la disponibilité des aliments sont absolument incroyables. On peut manger des mets différents et succulents tous les jours, sans se ruiner ! Qu'il semble loin le temps où on mangeait des patates sept jours par semaine, et où les oranges étaient données en cadeau à Noël ! Le simple fait de prendre conscience de ce fait, de ce privilège, devrait vous réconcilier un peu avec votre existence, et, encore une fois, rappelez-vous que ce ne sont pas tous les individus sur terre qui ont cette chance, puisque près d'un milliard de personnes dans le monde ne mangent pas à leur faim à l'heure actuelle, selon les Nations Unies.

QUELQUES EXERCICES DE GRATITUDE

La gratitude peut transformer votre routine en jours de fête.

WILLIAM ARTHUR WARD

Pour s'aider à éprouver plus de gratitude, il est possible de s'entraîner à changer certaines de ses habitudes de pensée. Évidemment, les négatifs ne seront jamais loin derrière, toujours prêts à vous convaincre que ça n'en vaut pas la peine, que ça ne marche pas. À vous d'en juger, mais ceux qui ont mis en pratique ces quelques exercices, qui ont fait « comme si » ça marchait, qui ont laissé momentanément leurs réserves de côté, ont constaté avec le temps qu'ils finissaient par y croire, et par en tirer des bénéfices...

1. Retourner aux sources de vos satisfactions

On se concentre trop souvent dans la vie sur ce qui nous manque plutôt que sur ce qu'on a. Heureusement, vous pouvez inverser cette tendance en réfléchissant un moment à tout ce qui vous comble dans la vie. Vous avez un emploi satisfaisant, des enfants qui vous rendent heureux, des activités qui vous passionnent et vous ont déjà apporté beaucoup de joie? Il peut être utile, pour reconnaître la valeur de tout cela, de vous remémorer qui est à la source de ces bonheurs, ou par quelle série d'événements vous en êtes venu à connaître ces plaisirs. Vous pourrez alors ressentir de la reconnaissance, non seulement pour une personne (qui d'ailleurs ne fait peut-être plus partie de votre vie aujourd'hui), mais aussi, de façon plus globale, pour les circonstances positives qui vous ont mené là où vous êtes présentement dans votre vie.

2. Faire un bilan positif de sa journée

À la fin de votre journée, vous pouvez aussi faire un retour sur celle-ci pour vous demander ce qu'elle vous a apporté de bon, d'agréable. Bien sûr, comme rien n'est jamais parfait, certaines choses vous ont sans doute énervé, déçu, etc. Mais pourquoi ruminer sur ces points négatifs? La plupart du temps, le positif côtoie le négatif, bien que nombreux sont ceux qui préfèrent diriger leur attention sur le mauvais plutôt que sur le bon.

N'avez-vous pas eu un fou rire durant la journée? Quelqu'un ne vous a-t-il pas dit que vous faisiez du bon travail? Avez-vous mangé un repas que vous avez trouvé très bon, en agréable compagnie? Avez-vous vu un bon film, eu une bonne discussion avec un ami? Tous ces petits «riens», vous pouvez les considérer comme des cadeaux que vous fait la vie, et non comme des acquis. Il vaut certainement la peine de se le rappeler, avant d'aller dormir, que ce soit en l'écrivant dans un cahier, ou simplement en le rappelant à sa mémoire.

3. Changer sa vision des choses

Nous vivons dans une société où nous pensons que tout nous est dû, que nous avons droit à un certain nombre de choses. Or, il suffit d'ouvrir un livre d'histoire ou de regarder ce qui se passe ailleurs sur la planète pour réaliser la chance nous avons de vivre au Canada, avec tout ce que cela implique pour notre sécurité personnelle, notre liberté politique, notre confort matériel et ainsi de suite. Autrement dit, la vie ne va pas toujours de soi, et il est important de ne pas l'oublier. Nous avons tous accès à des soins de santé, il suffit d'ouvrir le robinet pour que de l'eau potable coule sans restriction, nous ne vivons pas dans un pays violent... Voilà quelques exemples simples qui font l'envie de bien des gens sur terre! Nous bénéficions de tout cela et d'habitude, nous n'avons aucun effort à fournir pour profiter de tous ces bienfaits. Ne vaut-il pas la peine de réaliser notre chance immense?

4. Éviter la comparaison

Un des réflexes que nous avons tous, c'est de se comparer aux autres, et souvent, c'est pour se plaindre de notre situation comparativement à la leur. Untel a ceci que je n'ai pas, un autre est chanceux pour x ou y raison... Je suis presque certain qu'il vous est déjà arrivé, un jour ou l'autre, de vous comparer à quelqu'un d'autre de cette manière. Et à quoi cela a-t-il servi, je vous le demande? Sans doute avez-vous été déprimé à la suite de cet exercice de comparaison, et peut-être même vous êtes-vous dit que vous ne valiez pas grand-chose. Franchement! Chasser de son esprit de telles pensées est l'une des choses les plus intelligentes que vous puissiez faire. Au lieu de vous comparer aux autres de la sorte, pourquoi ne pas plutôt vous concentrer sur ce que vous avez réussi dans la vie, sur vos réalisations? Vous en tirerez une bien plus grande satisfaction et cela vous poussera à l'action et non au découragement.

Voici donc quelques exercices qui pourront vous aider à apprécier davantage ce que la vie vous offre. Ils ne prennent que quelques minutes à faire, mais ils vous feront du bien, j'en suis convaincu, surtout si vous êtes discipliné et que vous les faites souvent!

ARRÊTER DE CHIALER

Plus on plaint les gens, plus ils se croient à plaindre!

CHARLOTTE SAVARY

J'aimerais conclure ce chapitre en faisant une dernière remarque à propos des «chialeux», comme on les appelle. Je suis sûr que vous en connaissez au moins un, car ils sont partout! Parce qu'ils exagèrent le côté sombre des choses, parce qu'ils n'apprécient pas ce qu'ils ont, ces gens nous aspirent beaucoup d'énergie. Comme on dit, ils nous siphonnent!

Un chialeux, c'est quelqu'un qui se plaint sans arrêt, qui ne cesse de se trouver des raisons pour attirer l'attention des autres ou pour déprécier sa vie. On dirait que ce genre de personne prend plaisir à tout voir en noir! Il est difficile de prendre au sérieux ce qu'un chialeux nous dit, parce que c'est une habitude pour lui de considérer les choses sous un angle négatif. Par contre, il nous arrive à tous d'avoir de bonnes raisons de trouver telle ou telle situation difficile, sans pour autant être des chialeux. À ce moment, il est compréhensible de vouloir partager avec autrui sa peine, son découragement, sa fatigue, et il ne faut pas craindre de s'en ouvrir aux autres, qui savent très bien faire la différence entre un chialeux et une personne qui éprouve des difficultés.

Par exemple, j'ai un ami qui est toujours de bonne humeur, qui voit toujours le bon côté des choses. Alors, quand il me dit que ça va mal, je l'écoute! De la même manière, si vous connaissez quelqu'un qui ne se plaint jamais de son travail et qui, un jour, vient vous dire qu'aujourd'hui sa journée a été difficile, il recevra de votre part bien plus d'attention que le collègue qui passe son temps à rechigner. Autrement dit, on peut considérer que le fait d'apprécier la vie, ou l'une de ses facettes, donne en quelque sorte le droit de se plaindre, parce que ça veut dire, dans le cas où l'on sollicite l'aide d'autrui, que ça va vraiment mal. Les chialeux, quant à eux, passent leur temps à s'imaginer que les choses vont mal, et c'est pourquoi ils ne méritent pas que vous les écoutiez, et encore moins que vous les laissiez ruiner votre humeur positive.

11

La théorie
du «un peu plus»

S'accomplir, c'est se dépasser.

DENYS GAGNON

«Tous les jours en faire un peu plus», telle est l'une des phrases que je ne cesse de me répéter à moi-même. Nous vivons dans une société hautement compétitive où il faut souvent se démarquer des autres par notre savoir-faire, nos connaissances, nos habiletés relationnelles. Comment faire pour arriver le premier, pour être celui ou celle qui obtient la promotion désirée, par exemple? Et au plan personnel, comment faire pour avoir le sentiment d'avancer dans la vie, de ne pas stagner? La réponse tient, en partie, à votre capacité de vous dépasser «un peu plus» chaque jour.

Quand les gens viennent me voir pour me demander des conseils sur la manière d'obtenir du succès dans leur carrière ou dans leur vie en général, la première chose que je leur demande est celle-ci: «Avez-vous un plan?» Se projeter à long terme, s'imaginer dans cinq, dix ou quinze ans, voilà la première chose que vous avez à faire. Pourquoi? Parce que c'est uniquement à ce moment qu'il vous sera possible de déterminer les actions à entreprendre pour que ce plan devienne réalité. Parfois, il faudra faire des changements radicaux, modifier certains aspects de votre vie de fond en comble. Mais souvent, il arrive aussi, dans ce processus, que de petits efforts – en apparence anodins –, accomplis quotidiennement ou sur une base régulière, finissent à la longue par faire une grande différence. C'est ce que j'appelle la théorie du « un peu plus ».

Dans le domaine de la vente, il est facile de voir comment le fait d'en faire un peu plus peut s'avérer très profitable. Un vendeur qui fait dix sollicitations téléphoniques par jour, plutôt que huit, se retrouve ainsi à la fin de la semaine avec dix appels de plus, et donc avec dix occasions de plus de finaliser une vente. Par mois, cela fait 40 ou 50 appels de plus, et par année (si on suppose qu'il travaille 48 semaines), cela fait 480 appels supplémentaires. Grosse différence, au bout du compte, pour deux appels de plus par jour! De la même manière, le cours supplémentaire que vous aurez pris, le soir, pour parfaire votre formation, pourrait être la petite différence qui fera en sorte que vous serez la personne choisie pour combler un poste, ou pour accomplir une tâche plus stimulante liée à votre travail. Et ce cours du soir, vous aura-t-il coûté un si grand effort?

La théorie du « un peu plus » vaut pour le travail, mais aussi pour d'autres départements de votre **Moi inc.** Si vous vous dites tous les jours que vous voulez manger un peu mieux, si toutes les semaines vous coupez un peu dans cette mauvaise habitude alimentaire que vous avez, à la fin de l'année, cela finira par faire une grosse différence. Et si, chaque fois que l'occasion se présente, vous vous efforcez de dire « bonjour » aux gens que vous croisez, dans le but de recevoir des sourires plutôt que des airs bêtes, vous vous engagez alors dans une spirale qui ne peut être que positive à la longue. De prime abord, tout cela peut sembler insignifiant. Et pourtant, ces petits gestes ont un grand impact sur votre vie!

Jack Canfield, dans son best-seller *Le succès selon Jack* (dont je vous recommande fortement la lecture), nous invite à prendre conscience de toutes les heures perdues à regarder la télévision, alors que tout ce temps pourrait être employé à des activités plus productives. Selon le CRTC, les Canadiens écoutent en moyenne la télévision durant près de 27 heures par semaine. C'est presque quatre heures par jour ! Faites le calcul : si vous décidez chaque jour de regarder la télévision pendant une heure de moins, et donc de consacrer cette heure à faire « un peu plus » de quelque chose d'autre, à la fin de l'année, ce sera 365 heures de plus que vous aurez eues pour parfaire vos connaissances, pour vous entraîner, pour avoir du temps de qualité avec vos proches, ou pour toute autre occupation ou activité que vous valorisez. Comme le fait remarquer monsieur Canfield, cela équivaut à neuf semaines additionnelles de quarante heures, ou à deux mois complets !

Dans une optique d'amélioration professionnelle, la meilleure chose à faire est sans doute de lire des livres ou des articles reliés à vos compétences et à vos intérêts. Cette heure de plus passée chaque jour à acquérir des connaissances, plutôt qu'à rester passif devant la télé, vous donnera rapidement un avantage certain au travail, en plus de vous procurer une grande satisfaction personnelle. Alors, commencez dès aujourd'hui !

Évidemment, même si vous choisissez d'en faire un peu plus chaque jour, il reste qu'il n'y a que 24 heures dans une journée. Vous ne pouvez pas tout faire et vous devez donc choisir vos batailles, comme on dit. Qu'est-ce qui est le plus important pour vous, dans quel domaine sentez-vous le plus le besoin de provoquer un changement ? Voilà la question qui devrait vous guider dans votre réflexion sur les mesures à prendre pour vous améliorer, pour en faire « un peu plus » chaque jour.

D'ailleurs, ce qu'il y a de bien avec la théorie du « un peu plus », c'est que la seule exigence que vous avez envers vous-même, c'est justement d'en faire « un petit peu plus » chaque jour. Pas beaucoup plus, pas énormément plus ; juste « un petit peu » plus. Cela est accessible à tous, cela est facile à faire. Il suffit de s'y mettre et d'être discipliné. Les gens qui veulent tout changer, tout de suite, placent la barre très haute, et souvent, ils échouent parce qu'ils se découragent en cours de route. Mais lorsqu'on commence modestement, lorsqu'on n'essaie pas de trop en faire trop vite, les résultats, quoique moins spectaculaires, ne tardent cependant pas à venir.

Par exemple, si vous décidez de vous remettre en forme, vous pouvez vous inscrire à un gym en vous imposant d'y aller trois, quatre, voire cinq fois par semaine. Peut-être réussirez-vous au début à tenir votre résolution, parce que vous serez motivé; mais, à la longue, il deviendra difficile de maintenir le rythme, parce que le changement est trop radical. Vous risquez alors de vous décourager et de vous dire que vous n'êtes pas capable d'atteindre vos objectifs. Supposez maintenant que vous commenciez *mollo,* par un dix minutes d'activité physique par jour, par exemple. Bien sûr, ce n'est rien, au début. Mais au bout d'une semaine ou deux, vous pourrez augmenter à quinze minutes, puis vingt minutes, etc. Et puis, un beau matin, presque sans vous en apercevoir, vous aurez atteint votre objectif, et cela ne vous aura pas paru si difficile, puisque vous aurez tranquillement intégré cette activité physique à vos autres activités quotidiennes. Y aller lentement, mais sûrement: voilà ce que, bien souvent, il est préférable de faire.

2

Passez
à l'action !

12

Les quatre règles d'or

le temps est maintenant venu de passer à l'action, de mettre concrètement en pratique ce que nous avons détaillé dans la première partie. Vous êtes assis derrière votre bureau, en tant que président de votre **Moi incorporé,** et vous avez sous les yeux le bilan de chacun de vos départements. Certains fonctionnent très bien, d'autres demandent à être améliorés, d'autres encore vont peut-être plus ou moins bien. Il vous faut donc prendre en charge chacun de ces départements, dans le but de faire de chacun d'eux un franc succès!

Comme je l'ai déjà dit, il y a huit départements dans votre entreprise: l'alimentation, l'entraînement physique et le sport, les relations interpersonnelles, la santé financière, le travail, les vacances, l'engagement social et le bénévolat, et enfin, le département consacré au temps pour soi, que j'appelle le *Me,*

Myself and I. Dans les chapitres à venir, je développerai différents aspects en lien avec chacun de ces départements. Mais d'abord, je vous propose une démarche de réflexion, en quatre étapes, pour vous aider à vous mettre en marche.

1. Réfléchir

Avant d'entreprendre des démarches dans quelque sphère de votre vie que ce soit, il vous faut d'abord et avant tout réfléchir à ce que vous désirez atteindre comme objectif. Quel est votre but? Est-il réaliste, atteignable?

2. Observer

Une fois établi votre objectif, il vous faudra observer vos comportements pour voir ce que vous faites déjà de bien dans ce domaine, ainsi que ce que vous pouvez améliorer. C'est aussi à ce moment que vous pouvez établir votre plan d'action, à la suite des observations que vous venez de faire. Autrement dit, vous avez à vous questionner sur ce que vous devez faire pour atteindre votre but dans l'un ou l'autre des départements de votre *Moi inc.*

3. Agir

Évidemment, pour obtenir des résultats, il faut faire plus que parler, il faut agir! Cette étape est essentielle et c'est souvent ici, après un moment, qu'on finit par se décourager et par abandonner. Y aller progressivement, se fixer des objectifs à court terme pour gravir petit à petit les échelons, est une manière simple, mais efficace de ne pas se décourager en chemin.

4. Se récompenser

Se récompenser, c'est d'abord et avant tout reconnaître la valeur de ce que vous avez accompli, et en tirer une certaine fierté. Ce peut être aussi se féliciter, dans certains cas, ou encore s'accorder un petit plaisir, de temps en temps, pourvu qu'il n'entre pas en contradiction avec notre objectif!

Chaque jour, chaque fois que vous désirez vous améliorer, relever un nouveau défi, vous pouvez utiliser à profit ces quatre règles d'or : réfléchir, observer, agir, se récompenser. Les chapitres qui suivent vous donnent plus d'informations sur les huit départements de votre **Moi inc.,** et sur ce qu'il convient de faire pour mener une vie bien remplie et satisfaisante. À la fin de chaque chapitre, je vous invite à appliquer ces quatre étapes, qui ont le mérite de rendre vos buts beaucoup plus concrets. Pourquoi ne pas écrire dans un cahier vos objectifs, et vérifier, chaque jour ou chaque semaine, comment vous progressez ? Mais surtout, que vous adoptiez cette manière de faire ou une autre que vous jugez plus appropriée, le plus important, c'est de passer à l'action au plus vite, de ne pas remettre à plus tard ce que vous pouvez commencer maintenant !

13

L'alimentation

dis-moi ce que tu manges, je te dirai qui tu es !

ADAGE POPULAIRE

Je ne vous apprendrai rien en vous disant que l'alimentation est le carburant de votre **Moi inc.**, qu'elle est à votre corps ce qu'est l'essence pour une voiture. C'est pourquoi elle est le premier département dont j'aimerais vous parler parce qu'elle est la clé, avec l'entraînement physique, d'une bonne santé. L'équation est simple : si vous mangez bien, si vous êtes en forme, il vous sera plus facile de performer dans les autres sphères de votre vie.

Nous vivons à une époque où nous avons à notre disposition, comme jamais auparavant, une quantité incroyable d'aliments. Et pourtant, nombreux sont ceux parmi nous qui ne sont pas en bonne santé à cause de ce qu'ils mangent ou ne mangent pas. Vous le savez, le nombre de personnes obèses ne cesse d'augmenter dans notre société, de même que le nombre de personnes atteintes par le diabète de type 2, qui touche maintenant de plus en plus d'enfants et d'adolescents, alors qu'autrefois il ne concernait que les adultes. Tous les spécialistes le disent et le répètent : dans la majorité des cas, ces deux problèmes de santé sont le résultat d'une alimentation riche en gras et en sucres, ainsi que d'habitudes de vie sédentaires. Voilà pourquoi il faut lutter contre ces deux problèmes ; d'abord, en s'alimentant mieux, ensuite, en étant plus actif !

Les principes à la base d'une saine alimentation sont simples et accessibles à tous. On pourrait les résumer en deux mots : modération et diversité. Nous vivons dans une société où l'excès est valorisé, et notamment en matière d'alimentation. Il suffit de penser aux restaurants où on sert des buffets à volonté, qui sont une invitation à s'empiffrer, ou encore aux portions gigantesques qui sont servies dans d'autres restaurants... De la même manière, la facilité avec laquelle l'alcool est accessible dans notre société conduit certaines personnes à en abuser, sans qu'elles soient pour autant des alcooliques ou des ivrognes ! La modération, c'est connu, a bien meilleur goût... C'est d'ailleurs ce que nous recommandent les spécialistes de la santé, car, en petite quantité, le vin, notamment, apparaît avoir un impact positif sur le cœur. On peut, il me semble, appliquer ce principe à la plupart des aliments ou des boissons dans notre alimentation. Une tasse de café, une tablette de chocolat, une bière ou un scotch n'ont jamais tué personne ! Ce qu'il faut, c'est privilégier la qualité plutôt que la quantité. Je vous invite donc à savourer une bonne bière, plutôt que d'en boire douze !

Le deuxième principe d'une bonne alimentation est celui de la diversité, ou de la variété si vous préférez. À ce titre, nous n'avons plus d'excuses, dans notre société, tellement le choix est vaste. Le problème, c'est plutôt de choisir tous les jours ce que nous voulons manger ! La première chose à faire, pour s'y retrouver un peu dans toute cette offre, consiste à inclure dans son régime quotidien des aliments des quatre groupes alimentaires, soit les fruits et les légumes, les produits céréaliers, le lait et ses substituts, et enfin les viandes et leurs substituts. Ensuite, il faut faire l'effort de varier le plus possible son alimentation, en privilégiant autant que faire se peut les produits frais, non transformés. Les fruits et les légumes, souvent négligés, devraient aussi être très présents, les nutritionnistes recommandant d'en manger de huit à dix portions par jour ! Et n'oubliez pas de boire de l'eau, beaucoup d'eau, soit un minimum de cinq verres d'eau par jour. Votre **Moi inc.** est composé de 60 % d'eau et en requiert 2,2 litres quotidiennement. Alors, buvez beaucoup d'eau, ce qui fera aussi en sorte que vous boirez moins de boissons gazeuses!

Certains se diront peut-être que ce que je propose est une sorte de diète. Au contraire! Car le mot diète a mauvaise presse, et pour cause. Il renvoie à des privations, à des sacrifices, et souvent les résultats sont décevants, voire même nuisibles à long terme pour la santé. Ce dont je parle, pour ma part, c'est plutôt d'adopter une alimentation saine, qu'on pourrait aussi appeler un régime de vie. Pas un régime au sens de diète, mais un régime au sens d'une discipline à suivre en matière de nourriture, et plus généralement en matière d'hygiène de vie. Qu'est-ce que cela veut dire, concrètement?

Premièrement, cela veut dire suivre les deux principes de base que sont la modération et la variété dans l'alimentation. Mais quand on pense à un régime, on pense aussi à une certaine forme de discipline et de régularité, ce qui n'est pas mauvais en soi. Les nutritionnistes s'entendent pour dire qu'il est préférable de manger souvent au cours de la journée, mais en petite quantité. L'idéal serait de prendre trois repas par jour, et deux collations. Cela permet de répartir tout au long de la journée les calories ingérées, ce qui permet au cerveau de toujours avoir à sa disposition l'énergie disponible à son bon fonctionnement.

À ce chapitre, on ne saurait trop insister sur le déjeuner qui, comme son nom l'indique, est le moment de la journée où nous brisons le jeûne de la nuit. Ce repas est capital pour bien démarrer sa journée, d'où l'importance de ne pas le négliger. Enfin, une alimentation saine est une question d'équilibre, c'est-à-dire une alimentation où le poids de la viande, des aliments riches en gras et/ou en sucres n'est pas excessif. Le Nord-Américain moyen consomme beaucoup trop de viande, la viande rouge notamment, et pas assez de poisson ou de protéines végétales. Diminuer sa consommation de viande s'avère donc un choix judicieux. De plus, sans devenir un fanatique de la luzerne, il peut être souhaitable de restreindre ses envies de sucre et de *fast-food*. Cela vous semblera peut-être difficile au départ, mais quand les résultats se feront sentir, vous ne voudrez plus revenir en arrière!

Tout cela semble bien beau, à première vue, mais on pourrait m'objecter que, bien manger, ça coûte cher. Cependant, il faut regarder plus loin que le simple prix des aliments et considérer l'alimentation comme un investissement à long terme. En effet, même s'il vous faut débourser maintenant un peu plus pour votre budget nourriture parce que vous changez certaines de vos habitudes, vous en viendrez à payer moins cher, plus tard, quand vous serez pétant de santé! Bien manger, en fait, c'est un peu comme prendre une assurance pour l'avenir. Sans dire qu'il ne vous arrivera rien, la qualité de votre alimentation réduira certainement les chances que des problèmes de santé se manifestent plus tard dans votre vie. D'ailleurs, avec le temps, vous vous sentirez beaucoup mieux au jour le jour, ce qui est un autre grand avantage de bien s'alimenter.

Une autre objection qu'il est possible de me faire, c'est de dire: «Je sais que je devrais mieux manger, le problème, c'est que je manque de temps pour cuisiner.» Ce qu'il est important de comprendre, ici, c'est que l'alimentation devrait être l'une de vos PRIORITÉS dans la vie, puisqu'elle vous donne l'énergie nécessaire pour être fonctionnel dans les nombreux départements de votre *Moi inc.* Alors, il est primordial que vous preniez le temps nécessaire pour vous préparer de bons repas, aussi souvent que cela est possible, ce qui demande surtout de l'organisation, plus que du temps. Il faut être efficace, organisé dans son emploi du temps, et être prêt à consacrer suffisamment de temps à cette dimension de votre vie qui est cruciale. Souvent, d'ailleurs, vous remarquerez que ce n'est pas vraiment la cuisine en tant que telle qui nécessite du temps, mais plutôt tout ce qui vient avant et après (aller à l'épicerie, couper les légumes, faire la vaisselle...). D'où l'importance de bien calculer ses affaires.

Bien manger n'est pas si compliqué, il suffit de s'y mettre. Je vous invite donc à changer dès aujourd'hui la manière dont vous voyez l'alimentation, pour la considérer comme une alliée dans votre quête personnelle de réussite.

14

L'entraînement physique et le sport

Tout le monde peut rester jeune,
à condition de s'y entraîner de bonne heure.

PAUL FORT

Pour être en bonne santé, il faut non seulement bien s'alimenter, mais il faut aussi demeurer actif physiquement. Personnellement, je ne comprends pas les gens qui ne prennent pas soin de leur corps, qui ne s'entraînent pas et ne pratiquent aucun sport. Comme je le dis souvent lors de mes conférences, je crois que par simple respect pour les gens qui n'ont pas la santé, quand on a la chance de l'avoir, il faut en profiter, il faut s'en occuper. C'est pourquoi ce chapitre est consacré à cette dimension de votre ***Moi inc.,*** où j'aimerais vous parler de deux éléments qui ont un grand impact sur votre bien-être physique, soit votre santé cardiovasculaire ainsi que votre tonus musculaire. Par la suite, je vous ferai part des bienfaits qu'il est possible de tirer de l'activité physique, et notamment de la détente et la satisfaction qui y sont associées.

Vous l'ignorez peut-être, mais les maladies cardiovasculaires constituent la première cause de décès chez les Canadiens d'âge adulte. Selon la Fondation des maladies du cœur du Québec, toutes les sept minutes, une personne succombe à une maladie du cœur ou à un accident vasculaire cérébral (AVC). Voilà qui devrait déjà vous faire réfléchir et vous motiver à prendre soin de votre cœur! Pour éviter toutes sortes de complications et de maladies, l'entraînement quotidien de ce muscle s'avère la meilleure prévention possible. Pour ce faire, vous pouvez bien sûr vous entraîner dans un gym où divers appareils, tels le tapis roulant et le vélo stationnaire, vous permettront d'améliorer votre capacité cardiovasculaire, mais vous pouvez également pratiquer une foule de sports et d'activités comme la marche, le jogging, le ski de fond ou encore la natation. Le secret, ici comme ailleurs, c'est l'assiduité, la discipline! La loi de la fréquence s'applique parfaitement à l'entraînement physique, puisqu'il faut régulièrement faire de l'exercice pour que des résultats se fassent sentir, l'idéal étant dans ce cas d'être actif entre 30 et 60 minutes par jour. Cela peut sembler beaucoup, mais s'essouffler un peu, au quotidien, est le meilleur moyen de diminuer les risques de maladies cardiovasculaires. En plus, cela vous aidera dans plusieurs de vos activités, qu'il s'agisse de monter des escaliers, de courir après un autobus ou encore lorsque vous jouerez avec vos petits-enfants!

La musculation est un autre élément important pour être et demeurer en forme, car le fait de faire travailler vos muscles a plusieurs conséquences positives sur votre organisme. Par exemple, en plus d'augmenter votre force et votre endurance, la musculation vous permettra de renforcer vos tendons et vos ligaments et aussi d'améliorer la résistance de vos os. De plus, vous pourriez également voir votre taux de cholestérol et votre tension artérielle diminuer, et vous pourriez aussi perdre du poids avec le temps. Bref, en vous entraînant régulièrement, vous vous prémunirez contre de nombreux désagréments qui pourraient survenir avec l'âge. De plus, de nombreuses tâches deviendront plus faciles une fois que vous aurez tonifié votre corps, ce qui ne veut pas nécessairement dire que vous aurez de gros bras et que vous ressemblez à «Monsieur Univers»!

Transporter des sacs d'épicerie, forcer occasionnellement pour déplacer de lourdes charges, faire des activités qui sollicitent votre dos, voilà quelques-uns des gestes que vous pourrez alors effectuer sans trop de peine. Et n'oubliez pas de vous étirer après avoir fait vos exercices, ce qui améliorera votre flexibilité tout en vous aidant à moins vous sentir courbaturé le lendemain !

Évidemment, pour être en forme, il faut s'entraîner à le devenir, et pour le devenir, il faut faire des efforts. Pas facile au début, mais combien payant par la suite ! Pour ma part, je dois vous dire que le fait de m'entraîner toutes les semaines, depuis des années, ne cesse de me procurer non seulement une grande satisfaction et de la fierté, mais aussi et surtout des bienfaits inestimables. Mais le plus important, c'est que j'aime ça ! J'aime forcer, j'aime l'énergie qu'on retrouve au gym. J'aime être propulsé par l'énergie des autres. J'aime aussi beaucoup m'entraîner à deux, c'est stimulant, et les jours où ça te tente moins, eh bien, tu te forces à y aller : quelqu'un t'attend. Depuis de nombreuses années, j'ai un entraîneur privé et je l'adore. Florian Bianchi est un entraîneur sympathique, compétent, très stimulant, très dur avec ses clients (il dit qu'on le paie pour ça...), et qui nous permet de forcer au maximum de nos limites. Ca me convient parfaitement. C'est pourquoi il est hors de question que j'arrête ! M'entraîner me donne de l'énergie, je me sens en santé, j'ai l'impression d'avoir une meilleure posture, je sais que ça m'aide à mieux vieillir, que j'ai moins de chance de me blesser, je me sens solide, et j'aimerais que tout le monde ressente la même chose que moi !

Ceux qui font du sport régulièrement se sont tout de suite reconnus, j'en suis certain, dans la description que je viens de faire des bienfaits, tant physiques que psychologiques, de l'activité physique. Il est facile de comprendre pourquoi, car eux aussi se sentent de cette façon ! Cet état de bien-être, cette sensation agréable peut être comprise instantanément par ceux qui sont actifs, mais elle reste un peu mystérieuse pour les autres. Pourtant, l'énergie que procure l'activité physique, la satisfaction de continuellement se dépasser et aussi la détente qui l'accompagne sont des éléments faciles à expliquer. En effet, notre cerveau sécrète des endorphines lorsque nous pratiquons une activité physique sur une période suffisamment longue. Or, la fonction principale de l'endorphine est d'augmenter la sensation de plaisir, voire d'euphorie, tout en diminuant la douleur. Pas étonnant donc que les gens qui sont actifs sont souvent de fort belle humeur, souriants et dynamiques!

Et ce qu'il y a de merveilleux, c'est que cette attitude est accessible à tous. Ce n'est pas sorcier, bien au contraire : la seule chose que vous avez à faire, c'est de bouger! Aller marcher tous les jours, prendre l'air, jouer dehors, tout ça, c'est déjà un début. Vous pouvez aussi modifier certaines de vos habitudes quotidiennes, que ce soit à la maison ou au travail. Chaque jour, vous pouvez choisir d'être actif ou pas, vous pouvez choisir l'ascenseur ou les escaliers, la voiture ou la marche pour aller au dépanneur, et ainsi de suite. Ces petits gestes semblent sans importance, et pourtant, additionnés les uns aux autres, sur une longue période, ils font toute une différence! Car ces actions, en apparence insignifiantes, vous permettent néanmoins de dépenser plus d'énergie, et de brûler quelques calories, à un coût modique. C'est toujours mieux que de rester assis sur son steak!

Pour finir, j'aimerais vous donner le même conseil que celui qu'un coach m'a donné lorsque j'avais quinze ans. Un jour, il m'a dit : « Sylvain, toutes les fois où tu hésites à aller d'entraîner, à aller faire du sport, arrête tout de suite de penser et vas-y! Arrête de réfléchir, passe à l'action : tu ne le regretteras jamais. » Et vous savez quoi? Il avait entièrement raison. Jamais, au grand jamais, je n'ai regretté d'avoir bougé, peu importe l'activité, parce que j'en ai toujours tiré une grande satisfaction, une détente des plus agréables et un bien-être général inestimable.

15

Les relations interpersonnelles

Il n'y a pas d'homme plus seul que celui qui n'aime que lui-même.

ABRAHAM IBN ESRA

L'être humain est un animal social, comme le faisait déjà remarquer le philosophe grec Aristote quatre siècles avant Jésus-Christ. Nous avons besoin des autres pour survivre, pour nous développer, pour nous épanouir. Certains choisissent de s'isoler, de se fermer aux autres, mais cela n'est pas dans la nature profonde de l'homme. Pour la plupart d'entre nous, les relations que nous entretenons avec les autres sont essentielles à notre bien-être, d'où leur importance. Ainsi, que ce soit avec votre conjoint ou votre conjointe, avec vos enfants, votre famille ou vos amis, vous gagnerez à améliorer vos rapports avec toutes ces personnes qui vous sont chères.

LES RELATIONS AMOUREUSES

Aimer, c'est bien, savoir aimer, c'est tout.

CHATEAUBRIAND

Tout le monde a déjà été amoureux au moins une fois dans sa vie, et rares sont ceux qui ne le sont pas qui ne voudraient pas le devenir! Partager sa vie avec quelqu'un qu'on aime est sans contredit l'une des relations les plus significatives qu'il nous est donné de connaître, mais, comme chacun le sait, la vie de couple n'est pas toujours une partie de plaisir. Ce serait trop beau!

Je l'ai déjà dit, nous vivons dans une société où l'effort n'est pas suffisamment valorisé, et cela est particulièrement vrai dans le domaine des relations amoureuses. Dans un monde idéal, l'amour que deux personnes se portent l'une à l'autre suffirait pour que leur couple fonctionne en tout temps. Il n'y aurait pas de sources potentielles de conflits, pas de compromis à faire, pas de disputes et de désaccords sur des points fondamentaux. Bref, tout baignerait dans l'huile! Malheureusement, nous ne vivons pas dans un tel univers, même si nous sommes conditionnés dès l'enfance à nous imaginer qu'une telle relation amoureuse est possible. Dans la vraie vie, pour qu'un couple marche, pour qu'il réussisse à durer et à surmonter les épreuves et les problèmes qui, immanquablement, finiront par se présenter, il faut s'en occuper, il faut en prendre soin. Si vous pensez que le jeu en vaut la chandelle, si vous ne voulez pas vous réveiller un jour en vous demandant ce qui a bien pu vous mener là où vous êtes, il n'y a pas trente-six mille chemins à prendre. Vous devez être prêt à mettre de l'eau dans votre vin, à faire les efforts nécessaires, à faire des sacrifices s'il y a lieu. Et vous devez arrêter de penser que vous n'avez pas à changer, que seul votre conjoint (ou votre conjointe) doit le faire!

Concrètement, cela veut dire que vous devez consacrer du temps de qualité à votre relation de couple. Souvent, quand les obligations s'accumulent, c'est dans le temps que l'on passe avec l'être cher que l'on coupe... Or, pour entretenir la flamme, ou pour la raviver, la condition essentielle est de partager des moments privilégiés avec la personne qu'on aime. Avec les années qui filent, il se peut que vous ayez oublié ce que vous adoriez faire avec votre conjoint(e), que vous ayez perdu certaines habitudes que vous aviez auparavant. Je vous encourage donc fortement à retrouver ces activités que vous appréciez faire avec votre mari ou votre femme, ou encore à en découvrir de nouvelles! Parfois, il s'agit de petits riens : par exemple, je connais un couple qui se fait, tour à tour, la lecture au lit! Cela peut sembler banal, sans importance. Pourtant, tous les deux apprécient grandement ce moment qui fait en sorte qu'ils partagent tous les jours quelque chose qui les rend plus amoureux. Ma conjointe Stéphanie et moi passons beaucoup de temps ensemble, car nous travaillons ensemble. Avec les années, nous avons développé une complicité extraordinaire et certains petits rituels. Nous avons nos petits codes, nos petits mots personnels et surtout nous nous étreignons plusieurs fois par jour en nous disant que nous nous aimons. Nous vivons une relation amoureuse harmonieuse, épanouie et stimulante.

J'ai choisi ces exemples pour vous montrer à quel point la théorie du «un peu plus» dont j'ai parlé précédemment s'applique bien ici. Car si, tous les jours, vous vous appliquez à en faire un peu plus pour votre couple, quel que soit ce petit «plus», eh bien, à la longue, il y a de fortes chances que cela fasse une grande différence. Je ne dis pas que ces gestes que vous aurez posés suffiront à l'épanouissement de votre couple, ni que cela réglera tous vos problèmes, si vous en avez. Par contre, je peux vous dire que ce que vous aurez fait est déjà beaucoup, beaucoup plus que ce que la plupart des gens font, et surtout, qu'il vaut toujours mieux avoir agi ainsi que de n'avoir rien fait.

Jusqu'à présent, j'ai surtout insisté sur le fait qu'il est important de «travailler» au succès de son couple, mais je ne voudrais pas que vous pensiez que je considère que la vie amoureuse, c'est «juste» de l'ouvrage! Souvent, les choses coulent de source et il n'est pas nécessaire de faire le moindre effort pour se retrouver dans une situation plaisante, agréable. Heureusement, et tant mieux! Mais dans la mesure où vous désirez que votre vie sentimentale vous procure encore plus de bonheur et de satisfaction, il me semble évident que vous avez la responsabilité de réfléchir aux moyens qui vous permettront d'améliorer votre personne et votre couple. Si votre couple va déjà très bien, vous n'avez qu'à maintenir le cap, qu'à rester alerte ; toutefois, si vous sentez que les choses vont couci-couça, ou que votre mariage va à la dérive, il est grand temps d'agir !

Vous le savez aussi bien que moi, une relation de couple est une relation complexe, avec ses hauts et ses bas, et c'est pourquoi je n'ai pas la prétention d'en faire le tour en quelques pages – ce qui serait impossible –, et, en plus, je ne suis pas un spécialiste. Cependant, quelle que soit la situation dans laquelle vous vous trouvez à cet égard, bonne ou mauvaise, je ne saurais trop vous conseiller de vous questionner sur ce que vous pouvez faire pour enrichir votre relation. De nombreux livres ont été écrits à ce sujet, et on retrouve sur Internet une foule d'informations qui pourraient vous être très utiles. Aller chercher de l'aide au besoin en consultant un psychologue spécialisé en la matière est aussi une excellente idée, qui pourrait valoir son pesant d'or. Imaginez que vous retrouviez par cette thérapie celui ou celle que vous aimez profondément, et qu'en plus, vous économisiez sur les frais de divorce !

Au début de son roman *Anna Karénine*, l'écrivain Léon Tolstoï écrit que «toutes les familles heureuses se ressemblent, mais chaque famille malheureuse l'est à sa façon». Ce qu'il voulait dire par là, c'est que, pour qu'un mariage soit heureux, il faut toujours que les deux membres du couple s'entendent sur un ensemble de points cruciaux parmi lesquels figurent les valeurs, la gestion des finances, l'éducation des enfants (s'il y a lieu) et, enfin, la vision du couple et de la vie familiale. Un seul désaccord, une seule mésentente quant à l'un ou l'autre de ces aspects fondamentaux de la vie à deux et le couple sera en péril, même si tous les autres ingrédients sont réunis pour qu'il connaisse le bonheur.

Ai-je omis, à dessein, de mentionner une dimension essentielle de la vie de couple dans ce qui précède ? Oui, bien sûr, et vous vous en êtes certainement aperçu puisqu'elle occupe une place toute spéciale dans votre relation. Je veux évidemment parler de la sexualité, activité que je vous conseille de pratiquer uniquement avec la personne qui partage votre lit, du moins si vous voulez la garder! Pour que votre relation de couple soit harmonieuse, il ne fait pas de doute que vous devez être sur la même longueur d'onde que votre partenaire dans ce domaine. La sexualité figure donc parmi les quelques éléments de base où la bonne entente doit nécessairement régner avec votre conjoint(e), sinon votre relation risque de battre de l'aile.

Encore une fois, mon intention n'est pas ici de traiter en profondeur de cette question, puisqu'il faudrait pour cela y consacrer des pages et des pages. J'aimerais simplement souligner que cet aspect de votre vie est trop important pour que vous le négligiez, puisque, lorsqu'il est question de sexualité, il est aussi question d'intimité et de complicité avec autrui, de confiance et d'abandon de soi, sans compter que la qualité de votre vie sexuelle aura en outre des répercussions sur la manière dont vous vous percevez, autrement dit sur votre estime de soi et votre identité. La satisfaction sexuelle est donc essentielle à une vie amoureuse saine et c'est pourquoi ce qui s'applique à la vie de couple en général vaut également pour la sexualité, c'est-à-dire qu'il faut être disposé à s'améliorer sur ce point, il faut être à l'écoute de ses besoins et de ceux de l'autre, de même qu'il faut être prêt à changer et à régler les problèmes s'il y en a.

LES RELATIONS FAMILIALES

Le plus beau moment d'une vie est quand on apprend qu'on a une famille sur qui compter.

JEAN-PAUL SARTRE

On entend souvent dire que «la famille est la base de tout», ce qui est une affirmation difficilement contestable. Nous naissons au sein d'une famille, nous grandissons avec des êtres humains qui ont leurs qualités et leurs défauts et avec lesquels les relations sont parfois extraordinaires, d'autres fois plus ordinaires...

Une fois parvenus à l'âge adulte, la plupart des hommes et des femmes désirent à leur tour fonder leur propre famille, avoir des enfants. En ce sens, on peut considérer que ce qu'on appelle «la famille» recoupe au moins deux types de relations, soit celles que l'on a avec sa famille immédiate, à savoir son conjoint(e) et ses enfants, et celles que l'on a avec ses parents (père, mère, frères, sœurs, tantes, oncles, cousins, etc.). On pourrait également ajouter une troisième catégorie, soit celle des amis, qui comprend les individus avec qui on a tissé des liens affectifs très forts, même si on n'a pas nécessairement des liens de sang avec eux. Ces gens sur qui l'on peut compter en tout temps ou avec qui on a des intérêts communs qui nous poussent à rechercher leur compagnie, on peut considérer qu'ils font eux aussi partie de la famille.

➤ La famille immédiate

En ce qui concerne la famille immédiate, on ne dira jamais assez souvent qu'il est primordial de passer du temps de qualité avec ses enfants pour développer avec eux des relations signifiantes et profondes. Il s'agit d'une évidence, et pourtant, combien de parents se plaignent de ne pas pouvoir le faire, en raison d'un horaire trop chargé! C'est là qu'il faut savoir trouver un équilibre dans sa vie entre les multiples facettes qui la constituent. J'ai le bonheur d'avoir un fils extraordinaire, Simon, qui, par sa présence, sa grande gentillesse, son intelligence et son humour, fait de moi le plus heureux des pères, et je fais tout pour avoir avec lui une relation basée sur l'amour, le respect et l'affection. Les enfants doivent figurer en tête de liste de nos priorités, bien avant une foule d'autres obligations moins pressantes. C'est pourquoi nous devrions considérer chaque moment disponible comme un moment privilégié pour leur consacrer du temps, même si ce n'est que quelques heures. Vous le savez, il n'est pas nécessaire de faire des choses abracadabrantes pour combler les enfants de joie, surtout lorsqu'ils sont petits. Votre présence attentionnée, souvent, suffit à les rendre heureux. Donner du temps ne coûte pas grand-chose, donner de l'affection et de l'attention non plus, surtout en comparaison avec le bonheur que vous en retirerez et la reconnaissance que vous recevrez.

Pour se rapprocher de ses enfants, il n'y a rien de mieux que de développer un intérêt commun, que de partager une passion. Pour ma part, j'ai commencé à jouer au tennis avec ma conjointe, Stéphanie, et mon fils, Simon, il y a quelques années, et je peux vous dire que cette activité nous a donné l'occasion d'échanger bien plus que des balles! Nous en retirons tous les trois une très grande satisfaction et beaucoup de plaisir, ce qui nous incite à continuer de pratiquer ce sport et nous permet d'avoir des choses à nous dire, des histoires à nous raconter. On en passe, du temps, devant la télé, à regarder les matchs du Grand Chelem en s'agaçant à savoir qui est le meilleur? Federer ou Nadal? (Personnellement, c'est Federer...). En cherchant un peu, je suis persuadé que vous saurez trouver une activité qui vous permettra de prendre rendez-vous avec vos enfants sur une base régulière, pour le plus grand bonheur de tous.

➤ La famille étendue

Qui dit relations familiales dit aussi relations avec sa mère, son père, ses frères et sœurs, de même qu'avec la parenté un peu plus éloignée. Personnellement, je viens d'une famille de six enfants et nous avons d'excellents rapports entre nous. Nous avons eu nos hauts et nos bas, comme dans toutes les familles, mais, en vieillissant, c'est rassurant de constater qu'on revient souvent à l'essentiel... Et les liens de sang sont essentiels... Les membres de ma famille, je les aime beaucoup.

Les relations que vous avez avec votre famille, que ce soit avec votre père ou votre mère, vos frères et sœurs ou avec d'autres parents, peuvent faire partie des relations les plus importantes de votre vie. Cela dépend de vous, de vos valeurs et de la qualité de la relation que vous avez développée.

LES RELATIONS AMICALES

Un ami, c'est quelqu'un qui vous connaît bien et qui vous aime quand même.

HERVÉ LAUWICK

Si on ne choisit pas ses parents, ses enfants, ses oncles et ses tantes ou sa belle-famille, il en va autrement de ses amis. À l'adolescence, cette période où l'amitié prend une place immense, on peut naïvement croire qu'il est possible d'avoir beaucoup de véritables amis, mais, en vieillissant, on s'aperçoit que ce n'est pas le cas. D'ailleurs, avec les années, il peut même devenir difficile de simplement voir ses amis.

Le travail, la famille et une foule d'autres obligations peuvent faire en sorte que l'on délaisse sans le vouloir ses amis. Mais après une bonne soirée à rire avec eux, après une discussion agréable, un bel après-midi, on se dit toujours qu'il faudrait se voir plus souvent. Dans le pire des scénarios, il arrive parfois qu'on perde de l'intérêt pour une relation amicale quand la distance devient trop grande, ce qui fait malheureusement qu'on n'a plus grand-chose en commun ou plus rien à se dire parce qu'on ne sait plus ce que l'autre fait dans la vie, ni quelles sont ses préoccupations. Quand on y pense, il est triste d'en arriver là.

Les véritables amis se comptent sur les doigts de la main, alors, il est important d'en prendre soin, de ne pas les négliger. La relation que vous avez avec ceux-ci occupe une place spéciale dans votre vie puisqu'il y a certainement des choses que vous vous autorisez à faire en leur compagnie que vous ne feriez peut-être pas avec votre conjoint, avec vos enfants ou avec certains membres de votre famille (quoique certains d'entre eux puissent être considérés d'abord et avant tout comme des amis). Une certaine facette de votre personnalité se dévoile lorsque vous êtes en leur présence, ils vous poussent à vivre des émotions différentes ou encore à faire des choses que vous n'auriez peut-être pas faites sans eux. Si vous avez des amis de ce genre, il est primordial d'entretenir la relation qui vous unit. Mettez ces rencontres amicales très haut sur votre liste de priorités, planifiez vos rendez-vous et trouvez du temps pour les voir. Et dans la mesure du possible, gardez le contact avec eux lorsque de longues périodes s'écoulent sans que vous puissiez les voir. Un simple coup de téléphone pour prendre des nouvelles, un courriel pour donner signe de vie sont des moyens simples et efficaces pour entretenir le lien. Personnellement, je suis très gâté par la vie. J'ai de très bons amis et certains depuis très longtemps. J'ai le privilège de faire chaque année depuis 1991 un voyage à l'automne avec les mêmes amis... Incroyable! Nous sommes cinq complices, et ce voyage est un moment unique qui nous permet de faire le point sur l'année qui vient de s'écouler.

Tout au long de votre vie, vous aurez l'occasion d'entrer en relation avec des gens jusque-là inconnus, et certains finiront immanquablement par devenir vos amis. Pourtant, cela ne devrait pas se faire au détriment de vos anciennes amitiés, que vous ne devriez jamais tenir tout à fait pour acquis ou les négliger, sous l'effet de la nouveauté. Parfois, on peut vivre un coup de foudre amical, de la même manière qu'on peut vivre un coup de foudre amoureux, mais cela ne devrait pas vous inciter à ne plus voir vos amis de longue date! Tant mieux si vous vous faites de nouveaux amis, pour autant que cela ne se fasse pas au détriment de vos autres amitiés. Les relations amicales qui durent depuis longtemps ont souvent une grande valeur, que je vous invite à ne pas sous-estimer ou oublier.

Il peut aussi arriver que vous consacriez plus de temps à vos connaissances qu'à vos véritables amis, et donc à des relations qui, quoiqu'intéressantes, ne sont pas aussi fortes et significatives que celles que vous entretenez avec vos véritables amis. Je n'ai rien contre les connaissances, contre ces gens qu'on côtoie parce qu'on travaille ensemble, parce qu'on a un intérêt commun ou qu'on habite dans le même voisinage. Je dis simplement que nous avons des choix à faire, étant donné le temps réduit dont nous disposons, et qu'il est donc préférable d'employer ce temps à nourrir nos amitiés plutôt que de le passer avec des connaissances. Parmi celles-ci, certaines deviendront peut-être avec les années des amis, mais la plupart resteront pour toujours des connaissances. Il n'y a rien de mal à ça, puisqu'il est proprement impossible de s'imaginer entretenir de front dix, quinze, voire vingt relations amicales! Il faut simplement reconnaître que l'on ne peut pas devenir intime avec un grand nombre de personnes de son entourage, malgré l'affection qu'on peut leur porter ou encore le plaisir qu'on a en leur présence.

Je dois avouer que, plus jeune, j'étais mal à l'aise avec cette idée, car j'aurais voulu être l'ami de tout le monde. Je sais aujourd'hui que ce n'est ni faisable, ni souhaitable. Dans nos relations sociales, nous avons un premier cercle constitué par nos amis proches, qu'il faut absolument privilégier, et un second cercle fait de nos connaissances, qui devrait normalement occuper une place moins grande dans nos vies. L'apparition sur Internet d'interfaces de réseautage social comme Facebook est le meilleur exemple de la distinction qu'il y a entre des amis et des connaissances. Je connais des gens inscrits sur Facebook qui ont 300 «amis»! Imaginez le temps qu'il faudrait à cette personne pour aller prendre un café avec tous ses «amis»! Impossible! Par contre, ces mêmes personnes, lorsqu'elles sont mal prises et ont besoin d'un coup de main, eh bien, elles restent seules. Connaître la valeur de nos vrais amis, voilà le secret.

LES SEPT CLÉS DES RELATIONS EXTRAORDINAIRES

Les relations sont le miroir dans lequel on se découvre soi-même.

JIDDU KRISHNAMURTI

Pour finir ce chapitre, j'aimerais vous faire part de sept attitudes à adopter ou à développer dans le but d'enrichir, de manière générale, vos relations avec les autres. Je m'inspire ici du travail de Nicolas Sarrasin, formateur, conférencier et auteur de nombreux livres en psychologie, qui s'est intéressé notamment à la question des relations et à la façon dont il nous est possible de les améliorer. Voici donc les sept clés qu'il propose pour connaître des relations extraordinaires.

Première clé : le respect

Pour vivre une relation significative avec quelqu'un, il faut absolument avoir du respect pour cette personne, et il faut également
sentir que celle-ci nous respecte. Il est difficile, voire impossible
de s'engager dans une relation intéressante avec autrui si on ne
comprend pas ses besoins, ses intérêts et ses valeurs, ce qui nous
amène à la respecter pour ce qu'elle est vraiment. Malheureusement, nous avons tous tendance à juger rapidement les autres, et
il est plus facile de rejeter quelqu'un plutôt que de faire l'effort
nécessaire pour bien comprendre sa vie, sa situation ou sa vision
des choses, ce qui est pourtant souhaitable et avantageux. Or, les
autres vous respecteront beaucoup plus si vous les acceptez et
ne le jugez pas, et, en retour, ils seront eux aussi enclins à vous
respecter davantage.

Deuxième clé : la confiance

Il suffit de songer aux relations où la méfiance règne pour réaliser
à quel point son opposé, la confiance, est nécessaire à toute
relation saine. Quand on se méfie de quelqu'un, quand on a des
doutes sur ses véritables intentions, on finit par s'interroger sur
sa motivation à être en relation avec soi. Vous ne pouvez certainement pas vous sentir à l'aise avec une personne en qui vous
n'avez pas confiance, puisqu'il vous est alors impossible d'approfondir cette relation pour la rendre encore plus intéressante. En
réalité, vous n'en aurez pas du tout envie! Parfois, la méfiance que
vous avez à l'égard d'autrui est fondée, à d'autres moments, elle
est le produit de fausses impressions, de jugements inadéquats.
Sans confiance, vous ne pouvez espérer développer avec autrui
une relation où l'intimité, le partage et l'écoute priment sur la
superficialité et les banalités.

Troisième clé : le partage

Si les êtres humains entrent en relation, c'est en grande partie
pour pouvoir partager des émotions, des idées, des activités, des
rêves les uns avec les autres. Bien sûr, il arrive aussi que la raison

principale d'une relation soit l'intérêt, mais dans ce cas, on peut être en droit de se demander quelle est l'importance ou la valeur de cette relation à long terme, car une relation de ce genre sera plus fragile et plus susceptible de se terminer dès que les intérêts des deux personnes ne coïncideront plus. Les relations les plus enrichissantes pour vous seront certainement celles où le partage est au centre de vos interactions avec les autres, et non le simple intérêt calculateur. Partager, c'est donner sans rien attendre en retour, et normalement, la personne qui reçoit ce que vous lui offrez de bon cœur aura envie d'en faire de même avec vous, cette réciprocité menant à un approfondissement mutuel de votre relation. En partageant avec les autres, vous gagnez leur respect et leur confiance, et vous resserrez les liens qui vous unissent.

Quatrième clé : le compromis

Imaginez un univers où tout le monde partagerait vos moindres goûts, opinions ou désirs : ce serait terriblement ennuyant! La différence est ce qui met du piquant dans la vie, mais elle est aussi à la base de nombreux problèmes et conflits entre les gens. Parce que les autres ne sont pas comme nous, parce qu'ils ont d'autres aspirations et d'autres manières d'envisager l'existence, il faut apprendre à mettre de l'eau dans son vin et à faire des compromis. Quand deux personnes restent campées sur leur position, aucune solution n'est possible; il faut donc accepter de ne pas avoir toujours raison, apprendre à lâcher prise quand la situation l'exige. Des compromis sont, à l'occasion, nécessaires pour le bien d'une relation, mais il ne faut pas que ce soit continuellement la même personne qui les fasse!

Cinquième clé : l'empathie

Être empathique envers quelqu'un, c'est être capable de se mettre à sa place pour prendre conscience de ce qu'il vit, ressent ou pense. Il n'est pas toujours facile d'adopter une telle attitude, car la colère, la frustration ou la fatigue peuvent nuire à notre désir d'empathie, mais ce dernier devrait, dans la mesure du possible, être le plus souvent présent en nous. L'empathie, en nous permettant de nous placer dans la peau d'autrui, nous aide à mieux le comprendre et l'apprécier, et elle permet également d'avoir un meilleur contrôle sur nos émotions. En développant des «réflexes» empathiques, comme de vous demander quel est le point de vue de l'autre ou comment il se sent dans une situation donnée, vous favorisez un meilleur dialogue, et, de manière générale, une relation plus harmonieuse.

Sixième clé : la collaboration

Si on vous donnait le choix entre vivre seul sur une île déserte à la manière de Robinson Crusoé ou encore vivre en groupe, laquelle de ces deux options choisiriez-vous? La plupart d'entre nous choisiraient la deuxième option, pour une foule de raisons dont l'une est la collaboration. Car pour survivre, pour se nourrir, pour construire une cabane dans les bois, ne vaut-il pas mieux être plusieurs que seul? En collaborant avec les autres, vous obtiendrez plus que si vous restez dans votre coin. L'union fait la force, c'est bien connu, que ce soit sur une île déserte ou dans la vie de tous les jours! Nous avons besoin des autres tout autant qu'ils ont besoin de nous. Alors, pourquoi refuser de collaborer quand cela apporte un bénéfice à tous? Souvent, nous agissons de manière égoïste alors que la coopération serait bien plus profitable, et il en résulte des situations où tout le monde est perdant. En recherchant le plus possible à collaborer avec les autres, vous favorisez au contraire des situations gagnantes pour tous.

Septième clé : la communication

La dernière des clés pour vivre des relations extraordinaires est la communication. Car comment espérer maintenir une bonne relation avec autrui si nous ne sommes pas capables de lui dire ce que nous pensons? En parlant de ce qui ne va pas, de ce qui nous tracasse ou nous insatisfait, nous permettons aux autres de mieux nous connaître, et vice versa. Une saine communication permet aussi de plus facilement résoudre des malentendus ou des différends, voire de les éviter. Si vous cachez toujours quelque chose aux autres, ils ne pourront jamais vous voir tel que vous êtes vraiment, et ils ne pourront pas vous faire pleinement confiance. L'inverse est aussi vrai, c'est-à-dire que vous ne pouvez vous engager pleinement dans une relation où vous sentez qu'on vous cache quelque chose. Alors, communiquez, parlez, n'ayez pas peur de vous affirmer! Cela désamorce des conflits, bien sûr, mais cela permet également d'approfondir votre relation, de partager avec les autres vos plaisirs comme vos peines.

16

La santé financière

vous faites bien d'amasser de l'argent pendant votre vie :
on ne sait ce qui arrivera après la mort.

MONTESQUIEU

Si ce chapitre s'intitule « la santé financière », c'est parce que, pour moi, avoir un portefeuille bien géré est aussi important que d'avoir une saine alimentation ou de bonnes habitudes de vie. D'ailleurs, vous remarquerez que bien des gens qui ont des ennuis financiers tombent malades, et que l'inverse est aussi vrai, c'est-à-dire que des gens qui sont malades finissent malheureusement par connaître des difficultés financières. Ainsi, de la même manière que le département des finances (et de la comptabilité) est un département essentiel dans une entreprise, le département de votre **Moi inc.** qui s'occupe de la gestion de vos avoirs est lui aussi capital. Quels sont les gestes que vous pouvez poser pour améliorer votre santé financière, pour vous préparer à l'avenir, pour profiter davantage de la vie ?

On ne le dira jamais assez souvent, mais, en matière de finances, la planification est primordiale, essentielle, voire fondamentale. Personnellement, je dois avouer que j'ai un peu de misère avec ce département. Heureusement, je suis bien entouré. J'ai rencontré des personnes fantastiques, au fil des ans, qui ont su me conseiller et m'aider. Steeve Queenton, Rock Gagnon et Guylaine Vachon ont su, par leur professionnalisme, leur dévouement et leurs conseils, me rassurer et me permettre de vivre mon quotidien l'esprit en paix. Étant travailleur autonome, je dois penser à mon avenir, prévenir en cas de maladie, etc. Eh bien, je peux vous assurer qu'on dort mieux quand on est bien assuré et bien conseillé.

La première étape pour faire fructifier ses actifs est donc d'établir clairement un plan de match précis, avec des gens de confiance (je peux vous donner des contacts, si vous le désirez), ce qui vous permettra de savoir où vous voulez aller à partir de ce que vous avez maintenant comme épargnes, revenus et dépenses. À partir de cette planification initiale, qui pourra évidemment être modifiée en cours de route au gré des circonstances, vous serez plus apte à vous fixer des objectifs à court, moyen et long terme. Autrement dit, toute planification financière sérieuse commence par un bilan de votre situation financière actuelle, qui s'accompagne nécessairement d'une réflexion sur ce que représente l'argent pour vous. Car la valeur accordée à l'argent est différente pour chaque personne, selon sa vision de la vie, ses intérêts, sa situation familiale, son travail, etc. Au fond, la première question à vous poser est la suivante : dans un monde idéal, qu'est-ce que je voudrais qu'il m'arrive ? Ou, pour le dire plus précisément, et de façon plus réaliste : que suis-je prêt à sacrifier maintenant pour épargner pour mes besoins à court et à long terme ? Que suis-je prêt à sacrifier aujourd'hui pour avoir une belle qualité de vie plus tard ? À partir des réponses que vous donnez à ces questions, il vous sera alors possible de dresser un plan de match efficace en vue de réaliser vos objectifs de vie.

SE PRÉPARER À TOUTE ÉVENTUALITÉ

Il y a plus de peine à garder l'argent qu'à l'acquérir.

MONTAIGNE

La première étape d'une bonne planification financière consiste donc à faire une chose relativement simple, mais que bien des gens ne font pas, pour une raison ou une autre, à savoir un budget. En additionnant toutes ses sources de revenus, en soustrayant toutes ses dépenses, on en vient à obtenir le montant qu'il nous est possible d'épargner tous les deux semaines, chaque mois, chaque année. Cet exercice permet aussi à une personne de réaliser où elle pourrait épargner davantage, en réduisant certaines dépenses lorsque cela est possible. Grâce à cette vue d'ensemble de sa situation financière, il est aussi possible de mieux répartir ses économies entre les trois grands types d'épargne existants, soit l'épargne à la consommation, l'investissement et l'épargne pour la retraite. Vous pouvez ainsi vouloir épargner en vue de changer votre voiture ou de faire un voyage (épargne à la consommation), pour investir une somme importante pour vous acheter une maison (investissement), ou encore vous pouvez économiser de l'argent en prévision de votre retraite, pour assurer votre autonomie financière à ce moment de votre vie (épargne à la retraite).

Évidemment, votre situation financière ne restera pas la même tout au long de votre vie. Peut-être planifiez-vous en ce moment de fonder une famille, peut-être avez-vous obtenu une promotion, peut-être vous apprêtez-vous à prendre votre retraite. Vos décisions en matière financière seront bien sûr différentes selon ce que vous vivez. Par ailleurs, la vie nous conduit parfois là où nous ne pensions pas aller, et il y a des événements sur lesquels nous n'avons malheureusement pas de contrôle, comme un décès ou une maladie grave. Il est également utile de prévoir ces risques éventuels, de bien comprendre ces événements malheureux qui peuvent survenir dans le cours d'une vie et avoir un impact significatif sur vos finances, et ce qu'il est possible de faire pour atténuer leur importance.

LES SEPT VOLETS D'UNE BONNE PLANIFICATION FINANCIÈRE

Steeve Queenton, planificateur financier, m'a aidé à la rédaction de ce chapitre en me fournissant les éléments suivants :

Une bonne gestion financière commence par la capacité de bien jouer ses cartes, c'est-à-dire de bien prévoir tant les coups durs que les bons coups qui parsèmeront votre vie. En planification financière, on considère qu'il y a sept domaines dans lesquels il est possible d'intervenir pour assurer une saine gestion des finances d'un individu :

1. L'épargne

Évidemment, il faut d'abord être capable de calculer précisément combien d'argent il faut mettre de côté pour atteindre ses objectifs, quels qu'ils soient. Cela peut sembler évident quand on le dit comme ça, mais, souvent, c'est plus compliqué que ça en a l'air ! Bien des gens ont des dettes, par exemple, qui viennent freiner la réalisation de leurs projets. Apprendre à bien gérer ses dettes, à bien évaluer les coûts de ses projets pour éviter les mauvaises surprises est un élément clé d'une saine gestion financière.

2. Les aspects légaux

Il nous arrive à tous de prendre des décisions sans tenir compte de toutes leurs implications, et notamment de leurs conséquences au plan légal. Par exemple, bien des gens vivent en union de fait sans avoir d'entente notariée en cas de séparation. Or, quand ce genre de situation survient, il peut être très difficile de régler les problèmes que pose le partage des biens et des actifs, et cela peut même compromettre la réalisation d'un projet à moyen ou à long terme.

Dans un autre ordre d'idées, bien des gens n'ont pas de mandat d'inaptitude en cas d'accident grave ou de maladie, même si personne n'est à l'abri de ce genre de malheurs. Se protéger contre ces risques permet d'éviter bien des désagréments.

3. La succession

La question de savoir qui héritera de vos biens devrait vous préoccuper dès aujourd'hui. Certes, vous ne serez plus là, mais ceux qui vous survivront, vos proches, seront quant à eux très heureux de constater que vous avez bien préparé votre succession! Il est donc important de rédiger un testament pour éviter toute discorde lors du partage de vos actifs entre les différents membres de votre famille. Cela vous permettra de protéger vos biens et de les léguer aux bonnes personnes, ce qui n'arrive pas toujours lorsque quelqu'un décède sans testament. En effet, le Code civil du Québec comporte des dispositions pour les personnes qui n'ont pas de testament qui pourraient faire en sorte que vous vous retourniez dans votre tombe, puisque vos bénéficiaires ne seront pas nécessairement ceux que vous désiriez avoir. Par exemple, dans le cas d'une famille reconstituée, la personne qui a omis de faire un testament ne verra pas son conjoint ou sa conjointe de fait obtenir sa succession, mais plutôt ses parents, frères et sœurs. C'est un pensez-y-bien.

Pour ma part, je rends visite à mon notaire tous les deux ans, pour réviser mon testament. Je trouve cela très rassurant, et les coûts de cette mise à jour sont minimes comparativement à la tranquillité d'esprit que cela me procure. C'est pourquoi je vous recommande d'en faire autant. D'ailleurs, vous n'êtes pas obligé d'aller chez le notaire pour avoir un testament qui a force de loi, puisque vous pouvez aussi rédiger un testament olographe ou encore un testament devant témoins.

4. Les placements

Évidemment, vous ne gardez pas l'argent que vous gagnez sous votre matelas, mais plutôt dans un portefeuille de placements qui comprend l'ensemble de vos investissements. Dans le but d'atteindre vos objectifs financiers, il est important de bien réfléchir à la manière dont vous voulez placer vos avoirs, ce qui passe par une démarche visant à déterminer votre profil d'investisseur. Pour le connaître, il vous faut tenir compte de trois éléments, soit: 1) votre horizon de placement (dans combien d'années vous aurez besoin de l'argent que vous investissez aujourd'hui); 2) votre situation financière actuelle, qui détermine ce que vous pouvez investir pour le moment, et dans quels types de placements; 3) votre tolérance au risque, qui vous indique le risque que vous êtes capable d'assumer pour réaliser vos buts. Ce dernier point est le plus important puisque déterminer votre tolérance au risque revient à vous demander quel est le pire scénario que vous êtes capable d'assumer, en matière de rendements négatifs, avant de vous retirer du marché. Selon votre réponse à cette question, et selon votre situation économique et votre horizon de placement, il vous sera alors possible d'envisager quelle proportion de votre portefeuille vous voulez investir en bourse, quel pourcentage dans des placements garantis, etc. Votre profil d'investisseur vous permettra également de connaître le rendement que vous pouvez espérer de vos placements à long terme, et de le comparer à ce dont vous avez besoin pour atteindre vos objectifs. Vous serez alors plus apte à juger si vos objectifs sont compatibles avec ce que vous êtes prêt à épargner, et à réajuster le tir dans le cas contraire.

Vous pouvez déterminer quel est votre profil d'investisseur en communiquant avec votre institution financière ou en faisant affaire avec un planificateur financier. De plus, vous trouverez facilement sur Internet des questionnaires à remplir en ligne qui sauront vous fournir les informations pertinentes à ce sujet.

5. La retraite

Nous rêvons tous d'avoir une retraite dorée où nous pourrons profiter de la vie sans avoir à travailler. Pour que ce souhait devienne réalité, il faut commencer le plus tôt possible à réfléchir à la manière d'organiser son épargne en vue d'être autonome financièrement à l'âge de la retraite. Ce volet de la planification financière est complexe, car de nombreux paramètres doivent être analysés, comme l'âge prévu pour se retirer, le rendement des investissements, l'épargne disponible, ainsi que le taux d'inflation qui aura un impact sur le pouvoir d'achat au moment de la retraite. On conseille aux gens de refaire cet exercice de planification de la retraite tous les trois ans, car cela permet de réviser correctement ses projections pour l'avenir.

Comme vous le savez sans doute, il existe dans ce domaine de nombreux produits à votre disposition, du REER (Régime enregistré d'épargne-retraite) le plus conventionnel à des placements en bourse. L'important, comme toujours, c'est d'être le mieux informé possible des options qui s'offrent à vous, pour pouvoir faire les choix les plus éclairés.

6. La fiscalité

C'est inévitable, chaque année, il vous faut payer des impôts aux différents paliers de gouvernements, et certaines des décisions financières que vous prenez ont immanquablement un impact sur votre taux d'imposition annuel. Heureusement, il existe de nombreux abris fiscaux tout à fait légaux qui vous permettent d'économiser sur l'impôt que vous avez à payer sur votre revenu. Parmi les plus connus, on peut penser aux REER ou aux régimes d'épargne-études auxquels vous pouvez souscrire pour les futures études de vos enfants. À cela s'ajoutent également d'autres types de placement dont les revenus sont moins imposés, qu'il peut être avantageux d'utiliser lorsque la situation le permet.

7. Les assurances

Un dernier élément important de toute bonne démarche de planification financière concerne les assurances. Nous faisons tous face à des risques dans notre vie et au travail, et c'est pourquoi il existe une panoplie de produits d'assurance conçus pour nous protéger en cas d'accident, de maladie ou encore pour donner à nos proches une compensation financière en cas de décès. Bien sûr, choisir de cotiser à une assurance-vie est une décision personnelle, mais il peut s'avérer très utile de bien mesurer l'impact financier d'un décès subit pour sa propre famille. Souvent, un défunt laisse des dettes à court terme, une hypothèque à payer, des comptes en souffrance qui affecteront le niveau de vie de ses proches.

De la même manière, personne n'est à l'abri d'une blessure au travail ou d'une maladie qui contraint à l'inactivité pendant une longue période. En moyenne, la durée d'une invalidité reliée au travail est de deux ans. Il faut donc prévoir des revenus pour cette période où on ne gagne plus d'argent. L'assurance-invalidité et l'assurance-maladie grave sont des options qui peuvent vous aider à continuer de vivre décemment et à épargner en vue de réaliser vos rêves en cas de malchance.

La prudence et la prévoyance sont particulièrement de mise pour les travailleurs autonomes, qui, contrairement aux employés des grandes entreprises, ne bénéficient pas de régimes d'assurance avantageux. Étant moi-même travailleur autonome, je n'ai pas hésité, il y a de nombreuses années, à me payer une assurance-salaire. La personne qui travaille à son compte doit prendre toutes les précautions nécessaires pour ne pas se retrouver le bec à l'eau. Après tout, sa compagnie, c'est sa propre personne. En commençant à cotiser tôt pour une assurance-salaire, les coûts de votre police seront moins élevés que si vous attendez plus longtemps. Personne n'est invincible, et dans mon cas, le fait d'avoir une assurance-salaire qui me garantit une vie intéressante, au plan financier, à supposer un ennui de santé ou un accident, me permet de dormir sur mes deux oreilles.

PRENDRE EN MAIN SA SANTÉ FINANCIÈRE

Quand j'étais jeune, je croyais que, dans la vie,
l'argent était ce qu'il y a de plus important.
Maintenant que je suis vieux, je le sais.

Oscar Wilde

Après avoir lu ce qui précède, plusieurs en concluront sûrement qu'une démarche de planification financière est quelque chose de compliqué. Vous avez en partie raison, même s'il est possible, dans ce domaine, de bien se documenter et d'en apprendre beaucoup par soi-même. Pourtant, de la même manière qu'on remet sa santé entre les mains d'un médecin quand on est malade, on peut aussi se fier à un expert en matière de planification financière lorsque vient le temps de gérer ses actifs. Les informations qui suivent vous donnent un aperçu du rôle du planificateur financier, en plus de vous montrer à quoi vous devez vous attendre lorsque vous décidez d'en rencontrer un.

Tout d'abord, j'aimerais souligner que, pour votre sécurité, il est important de faire affaire avec un planificateur diplômé de l'Institut québécois de planification financière, qui est le seul institut à octroyer le titre de planificateur financier au Québec. Malgré les nombreuses histoires d'horreur qu'on a suivies dans les médias, il faut être juste et reconnaître que la très grande majorité des planificateurs financiers sont honnêtes, compétents et sont là pour vous aider. Vous devriez également savoir que cet organisme exige de ses membres qu'ils rencontrent à au moins deux reprises leurs clients lors d'une démarche de planification financière. La première de ces rencontres a pour but de brosser un portrait de votre situation financière, de vos objectifs et de vos valeurs, en plus de servir à vous expliquer comment le planificateur financier sera rémunéré. Par la suite, lors de la seconde rencontre, le planificateur vous fera part de ses recommandations par rapport aux sept champs d'intervention dont nous avons parlé précédemment, et il sera alors en mesure de vous conseiller judicieusement. Il verra aussi à vous aider à mettre votre plan d'action à exécution et à en effectuer le suivi. Très souvent, les gens ont des placements éparpillés un peu partout, mais il manque une logique, une cohérence à la gestion de leurs actifs. Travailler avec un planificateur financier permet, notamment, d'avoir une meilleure vue d'ensemble sur son portefeuille, en plus de déployer une stratégie plus efficace pour atteindre ses objectifs.

Comme je l'ai mentionné plus tôt, à une époque où on entend souvent parler de scandales financiers, de petits investisseurs qui ont tout perdu à cause d'escrocs, il est compréhensible que certaines personnes aient des réticences à l'endroit des planificateurs et autres conseillers financiers. Pourtant, il ne faudrait pas non plus les mettre tous dans le même panier, car la plupart de ces individus sont honnêtes et font bien leur travail. Évidemment, il ne faut pas non plus avoir une confiance aveugle en son planificateur financier, surtout au début de votre relation d'affaires, et c'est pourquoi il est important de bien s'informer de son titre auprès des autorités compétentes. En tant que PDG de votre *Moi inc.,* c'est à vous qu'il revient de faire les vérifications qui s'imposent, en contactant l'Autorité des marchés financiers et l'Institut québécois de planification financière, pour vous assurer que votre planificateur a bel et bien un permis pour exercer et qu'il n'a commis aucune faute professionnelle par le passé.

En ce qui me concerne, je crois à la valeur d'un planificateur financier et j'ai su, au fil des ans, développer un lien de confiance avec le mien. Je vous invite donc à faire un choix éclairé en ce domaine, que vous ne devriez pas regretter si vous prenez les précautions adéquates. Quel que soit votre revenu, il est possible d'avoir une bonne santé financière, car, ce qui compte le plus, c'est de bien faire fructifier l'argent que vous avez à votre disposition. Pour le succès général de votre *Moi inc.,* il faut que votre département finances soit en bonne santé. Alors, n'hésitez pas à investir le temps nécessaire pour faire de votre planification financière une réussite!

17

Le travail

Rien de plus simple que de vieillir jeune. Il suffit de travailler dans la joie.

COMTE DE CHAMBORD

Je ne vous apprendrai rien en vous disant que le travail est l'un des départements les plus importants de votre **Moi inc.,** si crucial en fait qu'il peut faire une différence entre une vie réussie ou pas. Ce n'est pas compliqué : les gens qui aiment leur travail sont plus heureux dans la vie, tandis que les gens qui sont malheureux au travail le sont aussi en général, ce qui les entraîne dans une spirale négative qui leur est néfaste. Au cours de votre existence, ce ne sont pas des heures, au bout du compte, mais bien des années entières que vous passerez au boulot, d'où la nécessité de ne pas négliger cette dimension de votre vie.

Aimer ce qu'on fait, ça n'a pas de prix. À titre de conférencier, je me suis beaucoup intéressé au travail et j'ai beaucoup lu à ce sujet pour m'apercevoir, sans surprise, que la très grande majorité des gens qui se réalisent, qui ont du succès dans la vie, sont des gens qui aiment leur travail. Pour eux, le réveille-matin n'est pas un ennemi : soit ils se lèvent avant qu'il sonne, soit ils sont contents lorsque celui-ci leur annonce qu'une nouvelle journée commence! Ces gens ont une passion pour leur travail, une motivation qui les encourage à se dépasser tous les jours. Ils ne considèrent pas que leur emploi est pénible, ce n'est pas pour eux un mal nécessaire. Au contraire, ils le perçoivent comme une occasion privilégiée de s'épanouir, de s'accomplir.

J'entends souvent des gens se plaindre de leur travail et rêver du jour où, s'ils ont de la chance, ils remporteront le gros lot qui leur permettra de ne plus travailler et, pensent-ils, d'être beaucoup plus heureux. Dans le même ordre d'idées, nombreux sont ceux et celles qui comptent les jours, les mois, voire les années avant leur retraite, ce moment béni où ils pourront enfin commencer à vivre. Mais la vie, ça ne débute pas à 55 ans, la vie, c'est ici, maintenant! Je trouve une telle attitude face au travail déplorable et triste, mais elle est malheureusement très répandue dans notre société.

Travailler, ce n'est pas « faire du temps », ce n'est pas, comme je le dis souvent, une période de corvée obligatoire entre deux fins de semaine! Vous devez absolument apprécier votre travail, le voir comme une occasion de vous développer, de vous améliorer, sinon, vous courez droit vers le *burn-out* ou la dépression. Votre attitude positive ou négative par rapport à votre travail déterminera en très grande partie comment vous vous sentirez au boulot, et comment vous vous comporterez à l'égard de vos collègues et de vos clients. De plus, étant donné que le travail est si fondamental dans une vie, votre capacité à en tirer le meilleur – ou bien à ruminer vos insatisfactions – aura aussi des répercussions sur votre vie personnelle, par exemple sur vos relations avec vos proches ou sur votre détermination à vous engager dans des activités en dehors du temps passé à travailler. Combien de fois entend-on des gens, le soir, se plaindre qu'ils sont trop fatigués pour faire ceci ou cela? Pourtant, la plupart du temps, leur travail durant le jour n'a pas été fatigant, pas assez en tout cas pour les empêcher d'être actifs le soir. C'est entre les deux oreilles que se trouve leur problème, c'est là que se trouve leur soi-disant fatigue, leur manque d'énergie. En ce sens, il est essentiel de cultiver une bonne attitude face à son travail pour ne pas chaque matin s'y traîner les pieds, ni en revenir chaque soir déprimé.

Évidemment, rien n'est jamais parfait, et je ne suis pas en train de dire que votre emploi devrait continuellement vous enchanter, ni que vous ne connaîtrez jamais de moments difficiles au travail. Par contre, si vous choisissez d'occuper ce poste et non pas un autre, il vous faut alors l'assumer pleine-ment, ce qui vient avec la responsabilité de voir le bon côté des choses. N'y a-t-il pas des tâches que vous trouvez plaisantes, valorisantes? Des collègues que vous appréciez, estimez? Et pourquoi, fondamentalement, faites-vous ce travail? N'auriez-vous pas justement un peu perdu de vue la raison pour laquelle vous occupez cet emploi?

Bien sûr, il peut arriver qu'après de mûres réflexions, vous vous rendiez compte que votre emploi ne vous satisfait pas ou plus. Peut-être, d'ailleurs, y a-t-il déjà un bon moment que vous «endurez» cette situation. Mais alors, qu'attendez-vous pour changer d'air? Prendre une telle décision ne fait pas de vous un perdant, car décider de quitter un emploi si on n'y trouve plus son compte n'est pas un signe de faiblesse ou un aveu d'échec. C'est simplement le signe que vous êtes prêt à passer à une autre étape dans votre vie, prêt à relever de nouveaux défis. Il en va de votre bonheur, de votre équilibre psychologique, de votre santé.

Trop de gens dans notre société s'assoient sur leur sécurité d'emploi, sur leurs avantages sociaux ou encore sur le salaire qu'ils gagnent alors qu'ils n'aiment pas ce qu'ils font dans la vie. Cette absence d'intérêt pour son travail explique en partie pourquoi on constate autant de problèmes de santé mentale dans la population active (détresse psychologique, dépression majeure, pensées suicidaires, surmenage). Selon l'Institut de la statistique du Québec, 27 % des travailleurs québécois souf-fraient de détresse psychologique en 2002. Concrètement, cela signifie que plus d'une personne sur quatre rapportait s'être sentie nerveuse, désespérée, agitée, déprimée, bonne à rien ou encore avoir l'impression que tout lui demandait un effort, dans le mois précédant l'enquête, et ce, à de nombreuses reprises.

Ainsi, l'un des risques à prendre en conservant un emploi qui ne vous convient pas et vous rend malheureux, c'est de finir par vous rendre malade. Ne vaut-il pas mieux partir, aller chercher ailleurs un travail plus proche de ce que vous êtes vraiment?

Peut-être pensez-vous qu'il est trop tard dans votre cas pour effectuer un tel changement, ou que vous n'en êtes pas capable. Mais il n'est jamais trop tard pour changer d'orientation profes- sionnelle, ni pour acquérir de nouvelles compétences. Surtout dans notre société où les possibilités de formation sont très nombreuses et variées, et où il est même possible d'obtenir de l'aide gouvernementale lors d'une réorientation de carrière. Votre vie est entre vos mains, c'est à vous de décider ce que vous en faites. Personne ne peut le faire à votre place. Alors foncez! Et si, pour une raison ou une autre, vous décidez de conserver votre emploi actuel, surtout, ne venez pas chialer par la suite! Travaillez plutôt à changer votre attitude au travail, votre vision des choses: vous en sortirez assurément grandi.

Il se peut que vous trouviez votre emploi ennuyant, répé- titif, difficile, ou encore que ce soit un travail peu valorisé socialement. Mais encore une fois, c'est à vous qu'il appartient de modifier votre attitude et vos comportements pour cesser de voir négativement votre travail. Un ami à moi, qui avait travaillé dans un restaurant italien, m'a un jour raconté l'his- toire suivante à propos d'un plongeur qui s'appelait Roland. Ce dernier avait quitté son pays natal, Haïti, dans le but de trouver une vie meilleure au Canada. Il avait fait des études en élec- tronique dans son pays d'origine, mais, malheureusement, il n'avait pu se trouver un emploi dans ce domaine à son arrivée à Montréal. Finalement, il avait abouti dans un restaurant où il lavait la vaisselle, ce qui n'est jamais facile comme travail, surtout quand on a cinquante ans, comme c'était son cas à l'époque. Roland avait donc toutes les raisons de se plaindre de sa situation, mais il ne le faisait pas. Au contraire, il prenait les choses avec philosophie, il acceptait le rôle qui était le sien (sans lequel il est impossible qu'un restaurant fonctionne!), il était toujours de bonne humeur, voyait le bon côté des choses et avait trouvé le moyen de faire contre mauvaise fortune bon cœur. Il n'était pas «juste» plongeur!

À tous les gens qui, comme Roland, occupent des emplois qui sont exigeants et qui en retirent, malgré tout, une satisfaction, une fierté, qui ne sont pas désagréables avec leurs collègues et qui ne chialent jamais, je lève mon chapeau. Des emplois «plates», il y en a toujours eu et il y en aura toujours, malheureusement, et il faut des gens pour les faire. Nous nous devons de respecter ces gens, de les valoriser, car ils font souvent un travail essentiel au bon fonctionnement d'une entreprise ou même de la société en général. Par leur dévouement au travail, parce qu'ils sont rayonnants en dépit des difficultés auxquelles ils font face, ils peuvent être une source d'inspiration pour nous tous. Et ils nous rappellent, de façon éclatante, que tout est une question d'attitude.

COMMENT AMÉLIORER VOTRE ATTITUDE AU TRAVAIL

L'enthousiasme est l'un des plus puissants moteurs de la réussite.
Lorsque vous faites quelque chose, mettez-y toute votre force.
Mettez-y toute votre âme... soyez actif, énergique
et fidèle, et vous atteindrez votre objectif.
Rien de grand ne se fit jamais sans enthousiasme.

RALPH WALDO EMERSON

De petits gestes simples peuvent parfois faire une grande différence dans la manière dont vous percevez votre emploi et aussi dans l'ambiance générale du milieu de travail dans lequel vous évoluez. Voici quelques trucs et conseils pour vous aider à vous sentir mieux au travail et dans vos relations avec vos collègues et clients.

1. Luttez contre le manque de reconnaissance

Vous avez peut-être le sentiment que le travail que vous faites n'est pas reconnu par vos supérieurs ou par vos collègues, et il se peut que vous ayez raison. Mais de votre côté, reconnaissez-vous suffisamment le travail des autres, les félicitez-vous pour leurs bons coups, leurs bonnes idées ? En encourageant les autres, en reconnaissant la valeur de leur travail, vous créez un climat propice à une gratification plus fréquente et chaleureuse de leur part, en plus de les inciter à vous manifester leur reconnaissance.

2. Appréciez ce que les autres font pour vous

Souvent, ce que les autres font pour nous au travail, gratuitement, simplement pour rendre service, passe inaperçu. Vous apporter un café, vous reconduire en voiture à la maison, prendre de vos nouvelles avec sincérité, voilà quelques exemples de comportements qui rendent le travail plus plaisant. Ce ne sont pas là de petits « riens » sans importance. Ce genre d'attitude permet de créer des liens, de lutter contre le côté impersonnel du travail. Il est important de réaliser ce que les autres font pour vous faciliter la vie et pour rendre vos journées de travail plus agréables.

3. Faites toujours de votre mieux

Quoi que vous fassiez dans la vie, l'important est toujours de faire de son mieux. Le travail bien fait est toujours préférable au travail bâclé, et c'est précisément pour cela qu'on vous a embauché : pour que vous donniez le maximum de ce que vous êtes, pour que les autres puissent bénéficier de vos meilleures aptitudes. Vous le savez, de toute façon, la satisfaction d'avoir accompli ce qui était attendu de vous, d'avoir fait du bon travail, de vous être donné à fond, est toujours très agréable à ressentir. Bien plus que de vous dire que vous auriez pu en faire plus, mais que vous avez été trop paresseux pour le faire...

4. Laissez au travail ce qui doit y rester

Votre travail est une dimension importante de votre vie, mais il n'est pas toute votre vie. Pour être bien au travail, pour l'apprécier, il ne faut pas qu'il prenne toute la place. Une fois vos heures de travail complétées, vous devez être capable de décrocher, de ne pas toujours penser à ce que vous devez faire demain, vous devez apprendre à lâcher prise! Les dossiers seront encore sur votre bureau demain matin, ne vous inquiétez pas, ils ne disparaîtront pas durant la nuit. D'ici là, il est de votre responsabilité de cultiver vos intérêts personnels, de vous occuper de votre famille, de vos amis, ce qui vous rendra par la même occasion plus performant au travail parce que vous vous sentirez mieux.

5. N'ayez pas peur ou honte d'aller chercher de l'aide

Il nous arrive à tous de traverser des périodes difficiles où nous avons besoin de soutien. Et comme le travail est une grosse partie de nos vies, il est normal que le fait de ne pas se sentir bien en général ait des répercussions sur celui-ci. La plupart des grandes entreprises offrent divers programmes d'aide aux employés, conçus pour les accompagner à passer au travers de situations problématiques. Il n'y a aucune raison de ne pas sans prévaloir, puisqu'ils ont été mis en place pour vous! Si vous n'avez pas accès à ce genre de services, peut-être avez-vous des assurances couvrant certains frais reliés à la consultation de spécialistes. Aller chercher de l'aide au besoin n'est pas honteux, ce n'est pas la preuve que vous avez échoué ou que vous n'êtes pas assez fort ou forte. C'est plutôt un signe d'intelligence!

6. N'essayez pas de tout faire en même temps

Tout vouloir faire, tout de suite, tout seul, voilà l'une des erreurs que l'on commet souvent au travail. Vous croyez peut-être qu'il est préférable de mener plusieurs tâches de front, que cela est plus productif, mais cela est rarement le cas. Quand on fait trois, quatre, cinq choses en même temps, on augmente le risque de se tromper, on court après les problèmes... Dans la mesure du possible, essayez d'accorder votre attention à une seule tâche à la fois, avant de passer à la suivante. Vous vous donnerez ainsi les moyens d'être satisfait de vous-même et de votre travail en minimisant la possibilité d'erreurs.

7. Soyez un phare, prenez votre rôle au sérieux

Que vous soyez le président d'une entreprise ou un simple employé, vous pouvez avoir une influence positive sur les gens autour de vous, par votre engagement dans votre travail, par votre sourire, votre ponctualité, vos commentaires, votre prestance, etc. Roland, le plongeur dont je vous parlais un peu plus tôt, était un phare au sein de l'entreprise pour laquelle il travaillait, malgré ses revenus modestes et malgré la mauvaise réputation qu'on fait au genre de travail qu'il exerce. C'est à vous de décider de l'image que vous voulez projeter auprès des autres, qui est aussi en partie l'image que vous aurez de vous-même. En prenant votre rôle de travailleur au sérieux, en réalisant que vous pouvez pousser les gens autour de vous dans une spirale positive plutôt que négative, vous valorisez votre travail, et vos actions n'en deviennent que plus efficaces. Il s'agit, en fait, de la meilleure attitude à avoir lorsque vous êtes «en scène».

8. Prenez soin de vous

Vous ne pouvez espérer performer au travail, avoir l'esprit vif, prendre les bonnes décisions, faire de longues heures, si vous n'êtes pas en forme, en santé. Cela nous ramène à deux des départements dont nous avons déjà parlé, soit l'alimentation et l'exercice physique, et cela nous rappelle également que tous les départements du *Moi inc.* sont reliés les uns aux autres. Si, de manière générale, vous ne faites pas attention à vous, si vous tirez trop sur l'élastique, comme on dit, il est normal que cela ait des conséquences néfastes sur votre travail. Prenez-vous en main, prenez soin de vous et vous créerez l'environnement le plus propice pour faire de votre travail une réussite.

9. Socialisez

On a tendance à l'oublier, mais le travail est l'un des lieux privilégiés pour rencontrer de nouvelles personnes, pour socialiser. Amusez-vous à faire le décompte suivant : parmi vos amis, combien d'entre eux sont d'anciens ou d'actuels collègues de travail ? Et que dire des couples qui se forment grâce au travail ? Bien plus qu'un simple endroit où on accomplit un certain nombre de tâches imposées en échange d'un salaire, le milieu de travail dans lequel vous évoluez est aussi un lieu où il est possible de nouer des relations sociales riches et fécondes. Les clubs sociaux, les rencontres improvisées en dehors des heures de travail, les lunchs entre collègues, les discussions autour de la machine à café sont autant d'occasions de partager, d'échanger, de se confier, d'évacuer la pression ou de trouver des solutions à des problèmes. Alors, ne vous en privez pas !

10. Concentrez-vous sur le bon côté des choses

Enfin, il est de votre responsabilité de voir le bon côté des choses, de ne pas vous laisser abattre par une mauvaise journée et de vous rappeler, le plus souvent possible, quel est le but que vous poursuivez en faisant le travail qui est le vôtre. Je l'ai déjà dit et je le répète : le travail n'est pas toujours une partie de plaisir, mais c'est à vous d'en tirer le meilleur et de faire en sorte que, globalement, vous y trouviez votre compte. Aimer votre travail devrait être votre principal objectif, et ce n'est qu'une fois que vous y serez parvenu, si ce n'est déjà fait, que vous pourrez développer votre potentiel au maximum.

18

Les vacances

si j'étais médecin, je prescrirais des vacances à tous les patients
qui considèrent que leur travail est important.

BERTRAND RUSSELL

Après avoir longuement parlé du travail, quoi de mieux que de s'intéresser aux vacances? Elles sont essentielles à votre bien-être tout autant que votre emploi. Chaque être humain a besoin de faire le plein d'énergie, d'idées, de prendre du repos pour recharger ses batteries. Les gens qui se vantent de ne jamais prendre de vacances ne font pas preuve d'intelligence, selon moi, mais plutôt d'inconscience! Vous travaillez fort pour gagner votre salaire, pour avoir du succès; vous méritez donc d'avoir de belles vacances.

Votre objectif, en prenant des vacances, est bien sûr qu'elles soient les plus agréables possible. Il est donc primordial, pour ne pas gâcher cette période si importante de l'année, d'avoir une idée claire et précise de ce que vous comptez faire. En d'autres termes, la «planification» de vos vacances est une étape fondamentale de celles-ci, étape qu'il importe de ne jamais négliger.

Pour être certain de prendre ses vacances, la première chose à faire est d'abord de déterminer à l'avance une date à partir de laquelle vous ne serez plus disponible pour travailler, quoi qu'il arrive. C'est qu'il peut parfois être tentant, lorsque le travail s'accumule, de repousser ses vacances ou même de les annuler... De plus, planifier vos vacances des semaines ou des mois à l'avance vous permettra de mieux les apprécier, dans la mesure où vous saurez exactement ce que vous voulez faire lorsqu'elles arriveront. Ainsi, vous ne perdrez pas un temps précieux à vous demander quoi faire, étant donné que vous aurez un plan, et cela vous empêchera aussi de simplement vaquer à vos occupations quotidiennes pour vous rendre compte, au bout d'une semaine ou deux, que vos vacances sont déjà derrière vous.

Trop souvent, on entend des gens dire que leurs vacances ont passé trop vite, qu'ils n'ont pas eu le temps de faire quelque chose. Mais les avaient-ils planifiées ? Il est certain que quelqu'un qui n'a rien prévu de particulier pour ses vacances sera probablement emporté par le tourbillon habituel des choses à faire. Il est si facile de se mettre à peinturer le salon ou à réparer la clôture pendant ses vacances, si facile de perdre un temps précieux à faire du ménage dans la maison ou dans ses comptes! Malheureusement, une personne qui se lance dans des projets de cette nature sans réfléchir au temps que cela exige et surtout si c'est la bonne chose à faire, finira par voir ses vacances s'écouler de manière insatisfaisante. De retour au travail, elle n'aura rien à raconter, pas de souvenirs palpitants, pas d'étincelles dans les yeux. Est-ce ainsi que vous voulez passer le peu de temps de l'année où vous pouvez souffler un peu, où vous avez la chance de vivre de nouvelles expériences ? En organisant bien vos affaires, en gérant bien votre agenda, vous devriez éviter de vous retrouver dans pareille situation.

Planifier ses vacances permet en outre d'en étirer le plaisir, de le faire durer plus longtemps. Je compare souvent la planification des vacances avec ce que représente la fête de Noël pour les enfants. C'est bien connu, dès le début décembre, les enfants deviennent fébriles à l'idée que Noël et ses cadeaux approchent. Ils comptent les dodos avant le réveillon et se demandent avec enthousiasme quels seront leurs nouveaux jouets. Pourtant, quand on y pense bien, le moment tant attendu ne dure que quelques heures, mais le plaisir qu'ont eu les enfants, lui, s'est étendu sur plusieurs jours! De la même manière, vous pouvez augmenter le plaisir que vous procurent vos vacances en y pensant d'avance et en prévoyant ce qui va arriver. Le tout pour le même prix!

Si vous prévoyez faire un voyage dans six mois, par exemple, vous avez tout intérêt à le planifier dès aujourd'hui. Non seulement vous aurez du plaisir à vous voir déambuler dans les rues de Rome ou de Paris, mais cela vous motivera également à épargner de l'argent pour votre voyage et à entreprendre toutes les démarches nécessaires à sa réalisation. Vous aurez donc du plaisir avant de prendre l'avion, du plaisir une fois sur place, et, grâce à votre bonne préparation, vous apprécierez certainement davantage votre séjour à l'étranger en plus d'en conserver de beaux souvenirs, une fois de retour à la maison. Alors, ne prenez pas de risques, et soyez prévoyant quand vient le temps de planifier vos vacances!

Évidemment, partir pour un long voyage n'est pas à la portée de tous, puisque cela exige du temps et de l'argent. Par contre, de nombreuses possibilités s'offrent à vous, et ce, quels que soient le temps et le budget dont vous disposez. Il se peut que vous ne puissiez pas partir loin de chez vous durant vos vacances, parce que vous ne disposez que de quelques jours de congé ou d'un budget limité. Mais qu'est-ce qui vous empêche de découvrir votre région, votre ville? Jouer au touriste dans sa ville peut s'avérer très amusant, et généralement, ce ne sont pas les activités qui manquent. Durant l'été, les festivals abondent au Québec, et la plupart des activités qui s'y déroulent sont gratuites ou abordables. Vous pouvez aussi faire du sport, du plein air, lire, rendre visite à des amis, passer plus de temps en famille ou occuper votre temps à faire des choses qui vous passionnent et que vous n'avez habituellement pas l'occasion de faire. Bref, pour que vos vacances soient «payantes», pour que vous ayez le sentiment d'avoir décroché et de vous être ressourcé, il n'est pas nécessaire que vous fassiez «la grosse affaire».

Par ailleurs, je pense qu'il est utile d'avoir une définition large de ce que sont les vacances. Bien sûr, la semaine où vous allez dans le Sud l'hiver ou les deux semaines de congé que vous prenez l'été sont des vacances, mais il y a bien d'autres moments dans l'année où vous pouvez prendre du temps pour décrocher. Autrement dit, il faut arrêter de penser que les vacances n'arrivent qu'une ou deux fois par année, généralement l'été, parce qu'il est possible et même souhaitable de prendre des vacances tout au long de l'année, à intervalles réguliers. À cet égard, les longues fins de semaine qui parsèment le calendrier sont une occasion en or de se payer la traite et de se ressourcer. Que diriez-vous d'aller faire un petit tour à New York durant le congé de Pâques? Ou une excursion à vélo lors de la fête des Patriotes? Et pourquoi pas du camping lors de la fête du Travail? En comptant la Saint-Jean Baptiste et la fête du Canada, on constate qu'il y a six longs week-ends pendant une année, qui sont autant d'occasions de prendre des vacances, brèves sans doute, mais des vacances quand même. Avec une bonne planification, vous pourrez tirer le maximum de ces congés fériés, plutôt que de les passer à faire ce que vous faites habituellement les fins de semaine.

Vos vacances, peu importe leur longueur, apportent une bouffée d'air frais dans votre vie, elles sont de l'oxygène dans votre quotidien où les obligations, j'en suis certain, ne manquent pas. Alors, tâchez de faire en sorte qu'elles ne vous filent pas sous le nez! Pour ma part, je suis quelqu'un qui adore ses vacances, qui les apprécie à fond. Ce qui ne veut pas dire que je n'aime pas travailler, bien au contraire! Nous avons tous besoin de prendre des pauses pour être de meilleurs travailleurs et pour être plus performants dans la vie en général. D'ailleurs, quand on lit les biographies de gens qui ont du succès dans la vie, on remarque qu'ils sont les premiers à prendre des vacances, beaucoup de vacances, malgré leur emploi du temps très chargé. Même le président des États-Unis, l'homme le plus important du monde, a besoin de vacances et en prend! Cela devrait vous convaincre de l'importance de ce département de votre *Moi inc.,* et de la nécessité de bien vous en occuper à longueur d'année.

19

Le bénévolat et l'engagement social

Veux-tu vivre heureux ? Voyage avec deux sacs,
l'un pour donner, l'autre pour recevoir.

GOETHE

Il y a peu de temps, une connaissance m'a raconté sa dernière visite chez son dentiste, qui lui avait «piqué une jasette», comme on dit. Pendant qu'il lui jouait dans la bouche, son dentiste n'avait cessé de lui parler de ses expériences comme entraîneur de hockey et de soccer pour son fils et sa fille. Il était intarissable ! Ce dentiste, me suis-je dit, est un bel exemple d'une personne qui s'engage, à sa manière, dans sa communauté. Au fond, en agissant de la sorte, ce dernier fait d'une pierre deux coups, puisqu'il contribue au bien-être et au développement de ses propres enfants et de ceux de son voisinage, en plus de grandir en tant qu'être humain. C'est pourquoi l'engagement social (et le bénévolat qui en est l'une des formes) constitue l'un des départements de votre *Moi inc.*

L'exemple de ce dentiste prouve à quel point une personne retire beaucoup quand elle donne aux autres. À la base du **Moi inc.,** on retrouve d'ailleurs cette idée qu'il est essentiel de prendre soin de soi-même, mais qu'il est tout aussi essentiel de prendre soin des autres. En fait, l'un ne va pas sans l'autre, car lorsqu'on est bien avec soi-même, il est beaucoup plus facile de s'ouvrir aux autres et de leur offrir ce qu'on a de meilleur. Une personne en meilleure santé, satisfaite au travail, qui a des relations enrichissantes avec ses proches, bref quelqu'un qui est bien dans sa peau, est évidemment plus apte à aider les autres, et ce, d'une foule de manières. Jusqu'à présent, il a surtout été question des moyens à mettre en œuvre pour prendre soin de vous; il est maintenant temps de regarder comment vous pouvez commencer à rendre service aux autres.

Si vous considérez que la vie a été généreuse à votre endroit, je pense qu'il est de votre responsabilité de donner quelque chose en retour, d'être généreux avec la vie, en quelque sorte. Certes, il nous arrive à tous de vivre des moments difficiles, mais, de manière générale, je crois qu'on peut dire que, pour la plupart d'entre nous, la vie nous a choyés. Nous vivons dans une société prospère, très peu violente, où l'éducation est accessible à tous, où les conditions de travail sont généralement bonnes. Nous avons tous l'occasion de nous faire valoir, de développer notre potentiel de multiples façons, que ce soit au plan professionnel ou personnel. Et nous avons pour la majorité d'entre nous des revenus intéressants, suffisants en tout cas pour bien assurer notre subsistance et celle de notre famille.

Pour toutes ces raisons, il m'apparaît que nous avons le devoir de partager ne serait-ce qu'une infime fraction de ce que nous possédons avec les gens qui sont plus démunis que nous. Les quelques dollars que vous donnez à un organisme communautaire ou à une cause qui vous tient à cœur ne représentent presque rien pour vous. Mais pour ceux à qui cet argent s'adresse, ce don représente énormément. Imaginez si chaque personne dans la société s'engageait dans une cause et y donnait un peu d'argent ou de temps. Il ne fait aucun doute dans mon esprit que globalement, notre société se porterait mieux.

Encore une fois, ici comme dans les autres départements de votre **Moi inc.,** tout est une question d'équilibre. On me sollicite souvent pour donner des conférences gratuites ou pour faire des dons. Évidemment, je ne suis pas Bill Gates, alors, je ne peux dire oui à tout le monde ! Pourtant, même si souvent je suis obligé de dire non, cela ne m'empêche pas de m'impliquer dans un certain nombre de causes qui m'interpellent, et à ce moment, je suis disposé à donner non seulement de mon argent, mais aussi de mon temps. Je suis convaincu que vous pouvez en faire autant, dans la mesure de vos moyens et du temps que vous avez bien sûr.

En ce qui a trait à l'argent, qui est une première manière de s'engager socialement, je ne répéterai jamais assez souvent que de petites sommes d'argent peuvent faire une grosse différence. Si vos finances sont serrées, je pense tout de même que vous êtes capable de donner un petit 10 $ de temps en temps à une cause de votre choix, non ? En accumulant les 10 $, un organisme local ou international peut aider des enfants à déjeuner, fournir du matériel scolaire dans des pays moins nantis, lutter contre les changements climatiques et ainsi de suite.

La deuxième manière de s'impliquer socialement consiste à donner de son temps bénévolement. Ce peut être une heure par semaine, une heure par mois, peu importe : c'est déjà beaucoup. Par contre, si vous décidez de vous engager dans du bénévolat, il faut assumer votre décision et non pas y aller par obligation ou en vous traînant les pieds. Souvenez-vous, vous êtes un phare... mettez l'interrupteur à « On ». C'est pourquoi je dis toujours qu'il faut choisir une cause à laquelle vous êtes sensible, puisqu'à ce moment, vous pourrez vous engager avec enthousiasme et conviction.

Jusqu'ici, j'ai peut-être donné l'impression que l'implication sociale passe exclusivement par l'engagement dans une cause quelconque. Pourtant, il y a bien d'autres manières de s'engager pour rendre la vie des autres meilleure. Le plus important, de mon point de vue, c'est plutôt de se montrer disponible pour autrui, et ce, quelle qu'en soit la manière. Le dentiste dont je parlais à l'instant s'implique socialement en étant l'entraîneur d'une équipe sportive, même si son action n'est liée à aucune «grande» cause. Les aidants naturels qui s'occupent de leurs parents vieillissants ou d'un proche qui est malade s'engagent socialement, tout comme les gens qui suivent de près les affaires municipales. Il y a un million de façons de travailler à l'amélioration de notre société, que ce soit au travail, dans son quartier ou à l'échelle de la province. La seule condition est de donner un peu de son temps, de son savoir-faire et de son énergie.

Et surtout, il faut arrêter de se comparer aux autres, il faut arrêter de regarder ce qu'ils font ou ne font pas dans ce domaine, car l'engagement social est l'affaire de tout le monde. Si vous vous demandez pourquoi vous devriez, vous, faire quelque chose, tandis que les gens dans votre entourage ne semblent rien faire, vous vous dédouanez de votre responsabilité fondamentale en tant qu'être humain. Et si vous cherchez à excuser votre manque d'engagement en prétextant que les autres pourront très bien le faire à votre place, vous minimisez l'impact que vous pourriez avoir sur votre communauté en plus de vous dévaloriser. N'oubliez jamais ceci : ce que vous faites pour les autres est précieux et personne ne peut le faire à votre place. En vérité, votre action s'ajoute à celle des autres, ce n'est pas seulement une action isolée, sans conséquence. On retrouve d'ailleurs ici l'un des principes de base du **Moi inc.,** à savoir qu'il faut cesser de croire que le sort de la collectivité dépend seulement des autres ou du gouvernement. Au contraire, chacun est appelé à contribuer au développement de la société, vous y compris.

20

Me, myself, and I!

Le plus grand secret du bonheur, c'est d'être bien avec soi-même.

FONTENELLE

Le dernier département du **Moi inc.,** mais non le moindre, est celui qui concerne le temps que vous accordez à votre propre personne. Je veux parler ici de ces moments privilégiés que vous passez avec vous-même, essentiels à votre bien-être général. J'ai beaucoup insisté jusqu'ici sur l'importance de bien s'alimenter, d'être en forme et de travailler à améliorer certains aspects de sa personnalité pour être une meilleure personne, que ce soit au travail ou dans sa vie de couple ou amicale. Mais en plus de tout cela, il est essentiel de prendre soin de soi, ce qui veut dire qu'il faut s'accorder du temps de qualité pour soi. Et il faut le faire sans se sentir égoïste, sans se sentir coupable!

On dit souvent que la vie va trop vite, que le temps passe trop vite. Cela est en partie vrai, mais je crois malgré tout que vous pouvez raisonnablement consacrer cinq à dix heures par semaine à votre belle personne! Il n'y a rien de mal à ça, puisqu'il en va au fond de votre santé physique et mentale. Car encore une fois, comment prendre soin des autres si on n'est pas bien dans ses culottes? C'est impossible, alors, il faut absolument s'occuper minimalement de soi, et le faire sur une base régulière, c'est-à-dire chaque semaine.

Tous les jours, vous avez des choix à faire avec le temps qu'il vous reste une fois que vous avez rempli vos obligations, et il ne faut pas être gêné d'en consacrer une partie à votre épanouissement personnel. Pour y parvenir, je vous conseille de vous fixer des moments dans la semaine exclusivement pour vous, des moments non négociables! Je suis certain qu'il y a des activités dans la vie qui vous comblent et que vous regrettez de ne pas pouvoir faire plus souvent. Avec une meilleure organisation de votre temps et en faisant les choix qui s'imposent, je suis convaincu que vous serez en mesure de faire toutes les semaines un peu plus de ces choses si plaisantes et enrichissantes. Vous pouvez couper dans le temps que vous passez devant la télé, vous pouvez arrêter de vous dire que vos enfants doivent être inscrits à trois ou quatre activités à la fois, vous pouvez attendre avant de faire le ménage! Vous pouvez choisir de faire de votre propre personne une priorité, en refusant de vous engager dans trop d'activités qui ne sont pas essentielles et vous éloignent de vous-même.

Pour se donner une marge de manœuvre, il faut apprendre à dire non à certaines choses, et oui à d'autres. Vous n'êtes pas obligé d'aller souper chez vos parents ou dans la belle-famille toutes les fins de semaine, et parfois, il faut savoir refuser des invitations, des propositions d'activités le week-end quand vous avez besoin de repos. Cela suppose aussi d'apprendre à être à l'écoute de soi-même et de ce qui vous fait plaisir. Pour certains, il s'agira de jardiner ou de suivre des cours de peinture, alors que, pour d'autres, ce sera d'écouter tranquillement la radio ou encore d'aller voir un bon film. L'important, au fond, c'est de ne pas perdre de vue ce que vous aimez et de créer les conditions propices à la réalisation de ces activités stimulantes. En faire des habitudes, presque des rituels, est l'un des moyens d'y arriver.

Dans mon cas, les premières heures de mon samedi matin sont toujours consacrées à la lecture du journal. C'est quelque chose que j'adore faire, c'est un moment privilégié que je m'accorde, alors je m'arrange pour ne pas rater ce rendez-vous avec moi-même! Pour ce faire, je me lève assez tôt et je ne me prévois pas d'autres activités avant d'avoir fini ma lecture. J'en tire une grande satisfaction qui me donne du pep, et par la suite, je suis bien plus disposé à consacrer du temps à mes autres activités et à mes proches. Vous pouvez en faire autant, car ce n'est pas très compliqué. Il suffit de vous accorder du temps juste pour vous, du temps juste pour votre bien-être personnel. Vous le méritez bien.

Enfin, en plus de ces petits gestes que vous pouvez effectuer pour vous sentir mieux, au quotidien, il y a une autre facette de votre *Moi inc.* qui est incluse dans ce département, soit l'aspect «spirituel» de votre vie, différent pour chaque personne. Par spiritualité, on peut entendre plusieurs choses; pour ma part, je considère que tout ce qui a trait au questionnement sur le sens de la vie, sur notre place dans l'univers, sur ce que nous pouvons faire pour avoir des relations plus harmonieuses avec les autres ou encore notre vision de la vie et nos valeurs, tout cela fait partie de cette dimension spirituelle. Évidemment, pour s'interroger sur ces grandes questions, pour déterminer nos croyances ainsi que les actions à entreprendre pour changer des choses dans sa vie, si on le juge nécessaire, il faut prendre du recul par rapport au train-train quotidien, ce qui ne peut se faire que si l'on s'accorde du temps.

Il vous revient bien sûr de déterminer l'importance de cette dimension à l'intérieur de votre *Moi inc.,* certains ressentant plus intensément que d'autres ce besoin d'introspection, qui varie aussi grandement selon l'âge et les circonstances. On a affaire ici à ce qui vous est le plus intime, alors, ce n'est pas à moi de vous dire quoi penser en cette matière! Tout ce que je sais, en revanche, c'est que vous devriez garder l'esprit ouvert en ce domaine, que vous soyez croyant ou non. Les formes de spiritualité sont multiples et elles couvrent un large éventail de pratiques et de conceptions. La spiritualité, pour moi, c'est autant faire de la méditation qu'aller s'évader dans la nature, c'est autant lire un livre sur le mieux-être que d'aller faire une retraite au fond des bois ou d'aller à l'église le dimanche pour ceux que ça touche. Il n'y a pas de bonne et de mauvaise spiritualité à mon sens, sauf celle qui vous entraîne dans une secte ou celle qui nuit à l'exercice de votre jugement critique! Votre vie intérieure vous appartient, vous en êtes le seul maître : à vous de décider ce que vous voulez en faire. Je vous invite simplement à ne pas vous fermer complètement à cette dimension de votre vie, car à mon avis, le besoin de comprendre le monde qui nous entoure et de trouver une signification à notre présence sur terre est une caractéristique fondamentale de l'être humain.

Conclusion

L'action n'apporte pas toujours le bonheur,
mais il n'y pas de bonheur sans action.

WILLIAM JAMES

Le but de ce livre était de vous inciter à passer à l'action. J'espère que sa lecture vous a été utile et qu'elle vous a déjà poussé à prendre des mesures pour améliorer votre belle entreprise ! Vous avez déjà franchi une étape importante en amorçant votre réflexion sur la manière de rendre votre vie plus satisfaisante, votre **Moi inc.** encore plus performant. En toute sincérité, je vous invite à ne pas vous arrêter en si bon chemin.

Évidemment, il est difficile de mettre en pratique tous les conseils de ce livre en même temps, et selon vos priorités et vos valeurs, vous voudrez certainement vous concentrer sur l'un ou l'autre des aspects qu'il contient. C'est pourquoi je vous suggère de travailler sur un ou deux éléments à la fois, ce qui est déjà un très bel investissement qui devrait vous rapporter gros ! N'oubliez pas, par contre, le principe du bambou chinois : il faut persévérer, ne pas se laisser abattre par les obstacles, les difficultés, et, à long terme, vos efforts, dans l'immense majorité des cas, seront bien récompensés.

J'ai conçu ce livre comme un guide pratique auquel vous pouvez vous référer pour remettre vos idées en place, ou encore pour remettre vos pendules à l'heure! Alors, n'hésitez surtout pas à le consulter chaque fois que le besoin s'en fait sentir.

À présent, votre responsabilité est de continuer sur la voie que j'ai tenté de tracer avec vous. C'est pourquoi je vous encourage fortement à poursuivre votre démarche pour devenir une meilleure personne, que ce soit par la lecture d'autres livres du même genre que le mien ou en assistant à d'autres conférences sur le développement personnel. Il y a d'excellents conférenciers au Québec qui ont des messages stimulants. J'ai aussi joint, dans les pages qui suivent, des références qui pourraient vous être bénéfiques.

Pour avoir du succès dans la vie, il faut s'entraîner à devenir meilleur et ne jamais lâcher. Mon objectif, en écrivant ce livre, était de diffuser le concept du *Moi inc.* pour qu'il soit accessible au plus grand nombre et qu'il soit mis en application. Mon travail s'achève donc ici, mais pas le vôtre!

Le Moi incorporé se veut un mode d'emploi pour la vie, une façon de la concevoir différemment et de poser des gestes concrets pour en faire une réussite. Je dis souvent que *Le Moi inc.,* il ne faut pas seulement le comprendre, il faut le vivre. Nous avons fait un bout de chemin ensemble, à vous de faire le reste. Vous êtes le seul maître à bord, souvenez-vous-en. Vous êtes sur la bonne voie, alors continuez, persévérez. Vous le méritez.

Je vous souhaite bon succès!

Lectures et ressources utiles

➢ *Conférenciers*

J'ai le privilège de faire partie d'un excellent réseau de conférenciers professionnels. Ils sont reconnus et très performants. Nous nous rencontrons régulièrement dans l'objectif de devenir de meilleures personnes et de meilleurs conférenciers. Voici leurs coordonnés.

www.jasminbergeron.com

www.martinlatulippe.ca

www.patrickleroux.com

www.marcandremorel.com

www.alainsamson.com

De plus, depuis de nombreuses années, je fais partie du bureau de conférencier le plus prestigieux au Québec : Orizon. Orizon offre des services de conférenciers, de formateurs et d'animateurs qui peuvent répondre à tous vos besoins. Vous pouvez rejoindre le président et fondateur, mon ami David Larose, à l'adresse suivante:

www.orizon.ca

Je ne saurais trop vous conseiller la lecture du livre de Jack Canfield, *Le succès selon Jack*, qui a eu sur moi une influence déterminante.

Parmi les conférenciers importants que vous lirez aussi avec profit, je vous recommande également les livres de Stephen Covey, notamment son best-seller *Les sept habitudes de ceux qui réalisent tout ce qu'ils entreprennent*. La lecture du livre *Pouvoir illimité,* d'Anthony Robbins, est aussi des plus stimulantes.

Plus près de nous, l'auteur et formateur Nicolas Sarrasin a écrit, ces dernières années, de nombreux ouvrages pertinents concernant le développement personnel, la psychologie et la motivation. Parmi ceux-ci, on retrouve le *Petit traité antidéprime* et *Qui suis-je? Redécouvrir son identité*. Son dernier livre, *La croissance illimitée,* porte plus particulièrement sur la manière de multiplier ses résultats dans la vie.

Enfin, le site Internet du **Moi incorporé** (www.moiinc.ca) contient une foule d'informations pour vous aider à avoir, au quotidien, une attitude positive. J'ai voulu que mon site soit le portail de l'attitude positive au Québec, alors surtout, n'hésitez pas à le consulter!

➤ *Ressources à propos de la gratitude*

Mazelin-Salvi, Flavia, « Adoptez la gratitude attitude », *Psychologies,* mai 2006. http://www.psychologies.com/Moi/Se-connaitre/ Comportement/Articles-et-Dossiers/Adoptez-la-gratitude-attitude

Le psychologue Marc Vachon propose, sur son site Internet, un exercice simple de gratitude qu'il est possible de pratiquer quotidiennement: http://www.oserchanger.com/gratitude.html.

➤ *Ressources concernant l'alimentation*

On retrouve de nombreuses ressources consacrées à l'alimentation et à la nutrition sur Internet, dans les librairies et dans les bibliothèques. En voici quelques-unes:

Béliveau, Richard, *Les aliments contre le cancer : la prévention et le traitement du cancer par l'alimentation*, Montréal, Trécarré, 2005.

Le site de la Fondation des maladies du cœur comprend une section très intéressante à propos de la saine alimentation :

http://www.fmcœur.qc.ca/site/c.kpIQKVOxFoG/b.3669895/k.5FAB/ Une_saine_alimentation.htm ?src = home

Enfin, le Guide alimentaire canadien est disponible en ligne à l'adresse suivante : http://www.hc-sc.gc.ca/fn-an/food-guide-aliment/index-fra.php. Vous trouverez également sur ce site de judicieux conseils en matière d'alimentation.

➢ *Ressources à propos de l'entraînement physique et du sport*

On retrouve, sur le site d'Énergie-Cardio, de nombreux conseils utiles concernant la mise en forme :

http://www.energiecardio.com/fr/index.php ?page = generaux. php&sec = 4#6

Pour plus de renseignements sur les maladies cardio-vasculaires, pour des conseils sur leur prévention ainsi que sur la manière d'adopter un mode de vie plus sain, je vous recommande encore une fois de consulter le site de la *Fondation maladies du cœur* :

http://www.fmcœur.qc.ca/site/c.kpIQKVOxFoG/b.3670147/ k.1395/Principes_de_base_de_l8217activit233_physique.htm

On retrouve aussi un guide d'activités physiques pour une vie active saine très intéressant, et téléchargeable, sur le site du gouvernement du Canada : http://www.phac-aspc.gc.ca/pau-uap/guideap/index. html.

➢ *Ressources concernant la sexualité*

Vous ne serez pas surpris d'apprendre qu'en matière de sexualité, les ressources éducatives sont nombreuses, notamment sur le Web. En voici quelques-unes :

http://www.masexualite.ca/home_f.aspx

http://www.servicevie.com/mots-cles/sexualite

http://www.plurielles.fr/amours/

http://www.reussirmavie.net/Le-sexe-est-il-si-important-pour-le-couple_a519.html

http://www.psychologies.com/Couple/Problemes-sexuels

➢ *Ressources à propos de la santé financière*

Je vous donne les coordonnés de mon ami et planificateur financier Steeve Queenton. N'hésitez pas à communiquer avec lui :

www.regar.net

La revue *Protégez-vous* propose, sur son site Internet, une trousse pour vous aider à mieux réaliser votre budget : http://www.protegez-vous.ca/index.html

L'Association des banquiers canadiens dispense de nombreux conseils utiles à propos des banques et aussi des questions de nature financière en général (CPG, REER, fraudes, etc.) :

http://www.cba.ca/index.php?option=com_sectionex&view=category&id=7&Itemid=55&lang=fr

On retrouve de nombreuses informations pertinentes pour les consommateurs sur le site d'Industrie Canada, dont plusieurs guides pratiques accessibles directement en ligne :

http://www.ic.gc.ca/eic/site/icl.nsf/fra/h_00071.html

Sur les types de testament, voir notamment le Réseau juridique du Québec (http://www.avocat.qc.ca/redacteur/testament-info.htm), qui offre également la possibilité de remplir un testament en ligne ! Voir aussi le site du gouvernement du Québec à cet effet :

http://www.justice.gouv.qc.ca/francais/publications/generale/success.htm

Les banques et les compagnies d'assurances peuvent vous aider à déterminer votre profil d'investisseur. Voici deux questionnaires disponibles en ligne, parmi tant d'autres :

http://francais.mcgill.ca/files/pensions/Profile_investisseur.pdf.

http://www.desjardins.com/fr/simulateurs/profil_invest/

L'Institut québécois de planification financière (http://www.iqpf.org/public.fr.html) prodigue de nombreux conseils pertinents concernant, vous vous en doutez, la planification financière. Vous trouverez aussi un dépliant téléchargeable intitulé « Pour votre santé financière, consultez un planificateur financier», au http://www.iqpf.org/user-files/File/publications/IQPF-sante-financiere.pdf.

Enfin, pour de plus amples renseignements sur le fonctionnement des marchés financiers, vous pouvez vous informer auprès de l'Autorité des marchés financiers : http://www.lautorite.qc.ca/index.fr.html.

Vous voulez de vrais résultats pour votre entrainement physique : Contactez mon entraineur et ami Florian Bianchi à www.sportevolution.ca